MA VIE EN ROUGE
ET BLANC

Arsène Wenger

MA VIE
EN ROUGE
ET BLANC

JC Lattès

Maquette de couverture : Le Petit Atelier.

ISBN : 978-2-7096-6633-6

« Tout ce qui est beau est difficile autant que rare. »

L'Éthique
Spinoza

« Tenter de donner conscience à des hommes de la grandeur qu'ils ignorent en eux. »

La Tentation de l'Occident
André Malraux

J'ai quitté Arsenal le 13 mai 2018.

Ce club a été toute ma vie pendant vingt-deux ans : ma passion, ma préoccupation permanente. Grâce à Arsenal, j'ai exercé mon métier d'entraîneur comme je voulais le faire : j'ai pu influencer la vie des joueurs, imprimer un style de jeu et connaître de belles victoires. J'ai eu une liberté et un pouvoir que les entraîneurs n'ont plus aujourd'hui.

Après ces années incroyables, fortes, inoubliables, quitter ce club, perdre l'intensité de ce pouvoir, fut difficile. Arsenal est toujours une partie de moi : je dis « mon club » lorsque j'en parle et même s'il est placé dans d'autres mains, je pense à lui avec passion, aux supporters, aux joueurs choisis, formés, accompagnés, poussés à donner le meilleur. C'est le jeu et les hommes qui m'intéressent, ces moments de grâce que le football fait vivre à ceux qui l'aiment et lui donnent tout. Les matchs gagnés sont des souvenirs précieux et les matchs perdus, ceux que je n'ose toujours pas revoir, m'obsèdent encore des années après : qu'aurait-il fallu faire ? Que s'est-il passé ? Toute ma vie a oscillé entre l'amour de la victoire et le mépris de la défaite.

Je suis un passionné et cette passion ne s'éteint pas.

Quand je suis arrivé à Arsenal, les Anglais ne savaient pas qui j'étais. La question *Arsène Who ?* revenait sans cesse. Je comprenais. J'étais le troisième entraîneur étranger dans l'histoire du football anglais. Les deux premières expériences s'étaient mal passées. Les Anglais ont inventé le football, comme les Français le vin. On ne demande pas à un Anglais de venir à Bordeaux faire du vin. Pendant 22 ans, j'ai cherché à faire triompher la vérité du jeu, du terrain. J'avais déjà connu des victoires, des défaites, des déceptions, de grandes colères, des départs, des joueurs magnifiques, mais aucune équipe ne m'a habité comme celle-là.

Le club a tant changé et moi avec lui. Et le football avec nous. Le football que j'ai pratiqué, les conditions dans lesquelles j'ai exercé ma passion, la liberté que j'avais, cette durée aussi à la tête d'un club, tout cela a presque disparu. Je ne suis pas sûr qu'un joueur aujourd'hui sans club avant ses 14 ans, sans coach avant ses 19 ans, puisse passer du championnat départemental à la ligue 1 et jouer tant de matchs, vivre tant d'aventures. Je ne suis pas sûr non plus qu'un entraîneur aujourd'hui puisse diriger une équipe comme Arsenal, choisir des joueurs comme je l'ai fait, avec une liberté et un engagement total. Ce fut une chance et un sacrifice consenti.

Les dernières années, le football a connu de grandes transformations.

Quelques-unes me frappent plus que d'autres.

L'internationalisation des propriétaires, l'apparition des réseaux sociaux avec leurs exigences et leurs excès, une solitude et une pression plus grande du joueur et de l'entraîneur, face à une attente toujours plus forte. Le football a beaucoup changé dans l'avant et dans l'après-match avec notamment une plus grande analyse rationnelle du jeu. Mais une chose ne change pas : les 90 minutes appartiennent toujours à un seul roi, le joueur.

L'Europe n'est plus dominée par trois clubs comme elle l'était avant, le Bayern, le Real et le Barça. Les autres équipes sont revenues à leur niveau.

Les analystes ont pris une très grande place et ce dès la mi-temps, permettant de mieux comprendre le jeu, d'avoir des critères objectifs d'analyse du match alors qu'avant tout était laissé à la subjectivité de l'entraîneur. Néanmoins l'entraîneur reste le seul décideur.

Les statistiques et la science doivent être une part de l'analyse de la performance mais elles doivent être utilisées avec une connaissance approfondie du jeu. Les dernières études montrent que les joueurs sont démoralisés par une trop grande utilisation des chiffres, sans doute parce qu'ils ont l'impression d'y perdre leur individualité.

L'entraîneur, plus que jamais, est responsable du résultat alors qu'il n'a pas toujours les moyens d'influencer toutes les décisions. Et les commentaires sont toujours exagérés dans un sens comme dans l'autre : « Il est génial », « Il est nul »...

On accompagne souvent ces transformations sans en avoir conscience et on reste concentré sur ses convictions. Mais aujourd'hui je suis sorti de ma bulle et tout m'apparaît plus clairement : les attaques injustifiées, les commentaires exagérés, la solitude de l'entraîneur... Je lis *L'Équipe* tous les jours, je regarde les matchs, deux, trois par jour, j'écoute et me demande dans quel sens ce qui se dit est juste, pourquoi ce qui est arrivé est arrivé, où est la vérité du jeu, et cela je peux le faire aussi avec ma vie, mes engagements, ma passion.

J'observe ces transformations, j'y réfléchis et dans le même temps le football m'apparaît toujours pour ce qu'il est et devrait être : un match où tout peut arriver, des joueurs, 90 minutes, des gestes magnifiques, une part de chance, de talent, de courage, une part de magie et la recherche pour celui qui regarde ces hommes jouer d'une émotion, d'un souvenir, d'une leçon de vie.

Le foot vit sous la pression de la performance. Il faut savoir prendre du recul, analyser les choses de haut. Le club pour se développer doit s'appuyer sur trois critères : la stratégie, la planification et l'application.

Je joue depuis que je suis enfant. J'ai connu des clubs amateurs avec des joueurs et des entraîneurs qui pratiquaient un football magnifique, qui vibraient pour tous les matchs, qui ne parlaient que de football, qui pouvaient traverser la France en train couchette de deuxième classe pour jouer et revenir à Strasbourg au petit matin et enchaîner avec un travail à l'usine, sans se plaindre, sans rien espérer d'autre que jouer et gagner le prochain match. Cela crée des liens à vie et les entraîneurs de ces équipes-là ont été mes mentors. Ils étaient passionnés, réalistes aussi et savaient transmettre leur amour du jeu.

Jouer est un bonheur pour moi encore aujourd'hui. Je retrouve, comme tous ceux qui jouent au football à tous les niveaux, mes émotions d'enfant.

Une journée sans match de football me semble une journée vide. Il m'arrive depuis quelques mois de rater à la télévision un match de mes équipes préférées ou un match que j'espère intéressant. J'aime voir ces matchs parce que je continue à apprendre, à penser, à essayer de progresser dans ma compréhension du jeu et de ce qu'on peut proposer au joueur pour le faire évoluer. Mais, parfois, à la place de ce temps sacré du foot, je passe une soirée avec ma fille, des amis. Avant ça aurait été impossible. Je vis donc des moments plus paisibles où la beauté me saute aux yeux : celle d'un paysage, d'une ville comme Londres ou comme Paris où je passe de plus en plus de temps.

Pendant 35 ans, j'ai vécu comme un sportif de haut niveau, obsédé par ma passion. Je n'allais pas au théâtre, pas au cinéma, j'ai négligé ceux qui m'entouraient. Pendant 35 ans, je n'ai raté aucun match, aucune coupe, aucun championnat, ce qui impliquait de vivre avec une discipline de fer et je continue à vivre ainsi : me lever à 5 h 30, faire des exercices, m'entraîner, manger et boire comme mes anciens joueurs. Je ne sais plus si c'est un choix ou une habitude qui m'emprisonne. Mais c'est ma seule manière de vivre. Sans ça, je crois que je serais malheureux. Si le bonheur c'est d'aimer la vie qu'on mène, je peux dire que j'ai été et que je suis heureux.

Pendant toutes ces années ne comptaient pour moi que le prochain match et son résultat. Pendant toutes ces années, je n'ai voulu que gagner. Mon temps et mes pensées étaient pris par ce seul objectif. Je n'étais vraiment là que sur le terrain. Avec les autres, avec ceux que j'aime, j'étais souvent ailleurs. Je ne voyais rien ou je voyais tout en rouge et blanc, aux couleurs de toutes les équipes que j'ai entraînées : Nancy, Monaco, Nagoya, Arsenal. Je ne voyais ni la beauté, ni le plaisir, ni la détente. L'idée de prendre des vacances, du bon temps, ne me serait pas venue à l'esprit ou si peu. Même mes nuits étaient faites de rêves de football. Je rêvais des matchs à venir, des conseils que je pouvais donner, de ces deux ou trois joueurs dont je n'étais jamais sûr : les faire jouer tout de suite, ne pas les retenir, apaiser les frustrations, continuer à les motiver. Ils étaient mes fantômes.

Je dis à mes amis en plaisantant que l'herbe, cette herbe de la pelouse d'un stade foulée si souvent, qui peut changer le destin d'un match, dont je prenais un soin maniaque à Arsenal, dont je discutais tous les matins avec le jardinier du club, est ma seule drogue. Ça

16

les fait rire mais c'est si vrai. C'est ma drogue. Depuis mon départ d'Arsenal, j'ai refusé des clubs où je pensais que je n'aurais pas eu la même liberté, les mêmes pouvoirs. La FIFA m'a fait une offre que j'ai acceptée parce que c'est un nouveau défi et une manière efficace de réfléchir à mon sport, de travailler en équipe. En attendant peut-être de retrouver le paradis et l'enfer du métier d'entraîneur.

Je veux partager ce que je sais, ce que j'ai appris du jeu et du sport et le transmettre à ceux qui l'aiment, à ceux qui le connaissent mais aussi à ceux qui sont plus étrangers à la force et à la beauté du football et qui se demandent comment on réussit, comment on mène des hommes à la victoire, ce qu'on apprend des défaites pour soi et pour les autres. J'aimerais contribuer à structurer notre jeu dans le monde entier. Et faire en sorte que, où qu'un homme naisse, son talent soit repéré et développé.

Aujourd'hui, j'ai d'autres fantômes que ceux de mes anciens joueurs et d'autres rêves que les matchs à venir.

Après ma sœur, c'est mon frère Guy qui est mort il y a quelques mois. Il était mon aîné. Il avait cinq ans de plus que moi. Il jouait au foot avant moi et c'est avec lui que j'ai joué en premier : dans notre chambre, au-dessus du bistro de mes parents, dans les rues de notre village et au sein du club de foot de Duttlenheim. Ce sont les rêves de nos débuts, des moments où tout s'est joué, lorsque j'étais le plus petit mais très déterminé. Je me battais pour jouer avec mon frère et ses copains.

Ce sont les rêves de l'enfance, dans cette Alsace où je suis toujours chez moi et qui a façonné ma personnalité.

Ce sont des rêves où je n'entends parler qu'alsacien.

Ce sont des rêves qui me ramènent là où tout a commencé.

1.

L'enfant qui rêvait de football

J'ai toujours subi l'intensité de mes désirs mais j'en ignorais la source. Elle est sans doute là, dans ce village d'Alsace où j'ai grandi : Duttlenheim, à quelques kilomètres de Strasbourg. C'est un village qui n'existe plus aujourd'hui : les années ont passé et tout transformé. Je suis l'enfant d'un autre siècle et d'une autre époque : les rues que j'ai connues et où j'ai pour la première fois joué au football, les hommes qui m'ont élevé, au milieu desquels j'ai grandi, le terrain de foot qui accueillait les matchs de notre club, l'esprit qui régnait dans les lieux, la façon dont les enfants grandissaient, tout cela a tant changé. C'était un village d'agriculteurs où le cheval était roi. Il y avait aussi trois forgerons. Il n'y en a plus aujourd'hui.

Je viens de ce monde, de ce village qui était comme une île, et l'homme que je suis devenu, le joueur que j'ai été, l'entraîneur, cet homme qui ne pense qu'au football, a été façonné, modelé par l'esprit de ces lieux et par les hommes qui y habitaient. Je vivais dans un monde dominé par le culte de l'effort physique.

À l'époque, le village était fermé sur lui-même, comme tous les villages d'Alsace, et dominé par la religion. Les hommes se connaissaient et s'appelaient par le nom de leurs familles. Nous, nous étions les « Metz ». La vie tenait dans un mouchoir de poche entre le bistro, l'école, l'église, la mairie, les commerces et le stade à deux kilomètres de la gare où personne n'allait jamais : pourquoi quitter cette île, ce monde où tous s'entraidaient ? Autour du village, il y avait des champs où je passais beaucoup de temps, le week-end et pendant les vacances scolaires. C'est là que j'ai appris à labourer, à traire les vaches, comme mes grands-parents le faisaient, les amis de mes parents. C'était un monde de paysans où la force physique était respectée et admirée. Les hommes que je connaissais travaillaient la terre, en vivaient, et j'adorais ces gens. Ils vivaient chichement bien sûr. C'était une agriculture de subsistance faite des cultures de tabac, de blé, de seigle, de betterave et de pommes de terre principalement. Une agriculture sans tracteur – il n'est arrivé au village que lorsque j'ai eu 14 ans, en 1963 – comptant sur la seule force des hommes et du cheval. Mes grands-parents paternels en possédaient un. En avoir deux était déjà un signe d'aisance.

C'étaient des hommes durs, taiseux, qui allaient à la messe le dimanche matin et au bistro de mes parents dès qu'ils le pouvaient, qui offraient une cigarette et une montre à un garçon de 14 ans, à l'âge où il devenait un homme selon eux, lorsqu'il pouvait quitter l'école et entrer à l'usine ou travailler tous les jours dans les champs. Le village était leur seul horizon. C'était là que se nouaient leurs amitiés, leurs amours, là qu'ils travaillaient, là que leurs enfants grandissaient.

Dans ce monde clos, nous, enfants, étions libres, nous n'avions jamais peur, on se faisait confiance les uns les autres. Nos bêtises, nos fautes, étaient rapportées par le bouche-à-oreille et aussitôt punies. La religion nous donnait une idée précise du droit, de la morale, de la vérité. Nous étions toujours ensemble les enfants du village, nous grandissions dans la rue et les champs mais nous avions des rêves différents.

Mon père était l'un des hommes de ce village : c'était un homme rationnel, enraciné, travailleur acharné et religieux. Profondément bon et compréhensif. Il a tracé pour moi une route avec des valeurs qui m'ont donné une force incroyable face aux épreuves et aux pires trahisons. Il avait fait partie de ces nombreux « malgré nous », ceux qui avaient été enrôlés de force pour se battre avec les Allemands contre leur pays. Il ne nous a rien dit de la guerre mais j'ai toujours admiré son courage, sa pudeur et su par quelles épreuves terribles il avait dû passer. Je suis né après la guerre, le 22 octobre 1949, et mon enfance était imprégnée comme celle de tous les enfants de la région par le climat d'après-guerre, la tragédie vécue par toutes les familles.

Mon père avait travaillé chez Bugatti de ses 14 ans à ses 17 ans, puis dans le bistro avec ma mère avant de créer son entreprise de pièces détachées. Il ne prenait jamais un jour de congé, jamais une semaine de vacances. Sa journée commençait à 7 heures au café puis il travaillait à son entreprise et, lorsqu'il rentrait à 20 heures, il continuait à travailler au bistro. C'est là que se tenaient les réunions du club de foot, qu'étaient affichés les résultats du club et les prochains matchs. Chaque mercredi soir, le comité du club de foot créé en 1923 faisait l'équipe dans le bistro pour le match du dimanche. Nous observant jouer tout le temps, et sentant que nous étions passionnés et pas mauvais, mon père avait formé l'équipe des jeunes où mon frère et moi avons commencé.

Mon père aimait sans doute le foot, même s'il ne l'a jamais dit. Il le considérait comme un loisir créant de l'animation dans le village, des beaux combats, une distraction, mais ce n'était pas pour lui comme pour les autres hommes du village un rêve permanent, une passion occupant toute la place. Lui et ma mère n'ont ainsi jamais rêvé que je devienne un joueur : c'était inimaginable. Mon frère non plus. Il était doué, il jouait milieu de terrain, défenseur central. Tout était là et pourtant il manquait quelque chose comme une clé, un déclic, une foi. Pour eux tous, le foot était un loisir. Point final. Pas un métier. Un métier, c'est plus sérieux, ça permet de gagner sa vie, et ce n'était pas le cas du foot.

Je me souviens que durant ces années il régnait une ambiance de dur labeur et d'amusement et qu'on faisait les deux à fond.

Enfant, j'étais extrêmement libre et souvent très seul. Ma mère me racontait : « On te laissait dans la chambre et on ne s'occupait pas de toi. » Peut-être que mon indépendance vient de là ? J'ai grandi entre l'école, les champs, l'église, jouant dès que je le pouvais, un foot de rue, dans les cours et les jardins, qui m'a tant appris. Je jouais comme les autres enfants, comme mon frère aîné, comme les hommes de mon village avaient dû le faire, comme mes oncles maternels le disaient, mais le football occupait déjà toutes mes pensées et se transformait petit à petit en obsession.

C'est presque mon premier souvenir : j'observe notre équipe jouer, je me tiens à l'écart, je regarde avec foi et passion, j'ai emporté avec moi un missel et je prie pour la victoire, j'ai cinq ou six ans. Peut-être savais-je, malgré mon jeune âge, que nous n'étions pas bons et qu'il fallait un miracle, l'aide de Dieu, le soutien de ma foi pour nous faire gagner ? Peut-être savais-je, malgré mon jeune âge et les rêves impossibles, que le foot serait ma seule religion, ma seule espérance : un match gagné, une victoire, un jeu beau, respecté ? Peut-être avais-je déjà cette envie féroce de gagner ? Des années plus tard, j'ai remplacé le missel par de bons joueurs et une bonne préparation pour espérer la victoire, la raison plutôt que la foi.

J'ai un autre souvenir qui illustre bien cette espérance de la victoire. Je passais souvent des heures dans les champs avec un paysan qui me laissait travailler avec lui ou qui se reposait pendant que je lui donnais un coup de main. Il s'appelait Adolphe Kocher. On parlait football, on commentait les résultats décevants de l'équipe, on refaisait le match. Un jour, il a prétendu qu'il était un excellent joueur et qu'avec lui l'équipe ferait des étincelles, qu'on l'emporterait enfin. « Tu verras, petit, je joue au prochain match. » Pendant des jours, j'ai attendu le prochain match, j'ai imaginé sa façon de jouer, j'ai rêvé des buts qu'il mettrait. Mais il m'avait menti : il ne jouait pas au prochain match. Tout s'effondrait. J'étais ce petit garçon qui voulait coûte que coûte gagner, qui ne pensait qu'à être premier, qu'à la victoire.

Le bistro de mes parents était comme le cœur battant de ce village. Il était semblable à bien des bistros alsaciens : ouvert tous les jours, chauffé par un poêle au milieu, une vingtaine de tables, rempli d'hommes qui buvaient des bières à la chaîne et fumaient des gauloises sans filtre et parlaient de foot sans cesse : leur équipe, l'équipe voisine, l'équipe rencontrée bientôt, et l'équipe tant admirée, celle du Racing de Strasbourg, qui les enflammait, les faisait fumer encore et boire encore et si souvent crier, se battre, tomber.

Ce bistro, La Croix d'or, a été mon école : j'écoutais les conversations, je repérais l'homme qui parlait le plus fort, celui qui mentait, le prétentieux et l'effacé, leurs pronostics et leurs colères, leurs analyses. Ce qui comptait, c'étaient les actes, pas les paroles. Était-ce déjà une école d'observation de l'individu et de la vie de groupe ? Sans doute. Je ne me souviens que de ces hommes qui parlaient tant alors que mon père était si silencieux. Je traversais la salle du bistro, enfant, plus tard il m'arrivait d'y servir vers 10, 12 ans : toujours j'écoutais, j'observais, je tâchais de comprendre. Si j'ai aimé les joueurs, les entraîneurs, tous les passionnés, si j'aimais les écouter et deviner quelle sorte d'hommes ils étaient, je le dois aux clients de ce bistro, aux hommes de mon village. D'eux j'ai retenu la ferveur et j'ai laissé de côté l'excès : l'alcool, les bagarres la violence, tout ce qui avait un jour effrayé, dégoûté l'enfant que j'étais. C'était difficile de voir des gens que j'admirais, les clients de mon père, boire autant et devenir parfois violents. Il fallait les retenir. C'était impressionnant. Mais ça m'a donné de la force et un instinct incroyable.

Lorsque je quittais la salle enfumée, je trouvais à l'étage l'appartement où nous vivions. Nous étions une famille sans que je comprenne ce que ce mot voulait dire : mes parents travaillaient du matin au soir, tous les deux au bistro, ou ma mère au bistro, mon père dans le commerce qu'il avait créé de pièces détachées pour automobiles à Strasbourg. Ils avaient commencé à travailler à 14 ans. Ma mère avait été orpheline très tôt. Ils étaient des exemples de courage, de ténacité, c'étaient des durs au mal qui ne se plaignaient pas. Nous ne mangions jamais ensemble et nous parlions très peu. Ma sœur avait 10 ans de plus que moi et mon frère 5 de plus : j'étais le petit, celui qu'on veut protéger mais aussi celui qu'on laisse se débrouiller seul, qui observe et imite et cherche à grandir plus vite.

À tous les étages de notre maison, j'avais un poste d'observation idéal : invisible, caché, retenant les fautes et les excès des aînés, prenant le meilleur d'eux, leurs expériences, leurs passions, leur sens acharné de l'effort, comprenant le courage de leurs vies, des vies simples, modestes, claires, des hommes aux rêves limités par leur territoire et qui ne pouvaient pas partir. J'étais curieux et sans doute le plus impatient de découvrir d'autres villes, d'autres régions. Je devinais que je vivais au milieu d'hommes qui allaient bientôt perdre leur mode de vie, leurs habitudes, leur foi des années 60. Je sentais que je voulais m'échapper, quitte à porter le poids de la culpabilité de ce départ. Ce n'était pas un abandon. C'est resté mon monde mais sans doute que mes parents, mon frère, ma sœur ont souffert de mon éloignement, de cette passion qui a tout emporté. Ils ne me l'ont jamais dit. Ils étaient avares de compliments : ils ne formulaient pas leurs souffrances et pas non plus leurs reproches. J'imagine que pour mon frère ça a été le plus difficile. Mais nous sommes restés très proches et, quand j'étais à Arsenal, il regardait tous les matchs et m'engueulait comme un grand frère quand il pensait que j'avais fait une faute.

Au village, nous n'avions pas grand-chose. Parfois je me demande si ma passion n'est pas née de cette frustration : ce monde petit, ces mots si rares échangés entre nous, ces matchs que notre équipe perdait, ce terrain qui ressemblait si peu aux vrais terrains de foot, comme celui de Strasbourg où l'un de mes oncles m'emmenait deux fois par an, ces larmes que je versais à chaque défaite. Dans ma carrière, j'ai rencontré beaucoup de joueurs qui avaient été éjectés du système, pour qui le foot était devenu un rêve impossible et qui sont revenus par la grande porte comme les Giroud, Koscielny, Kanté, Ribéry, etc.

Je pense à mon enfance et j'ai des souvenirs très précis.

Nous jouions dans la rue.

Nous jouions sans maillot, sans entraîneur et sans arbitre. Sans maillot, c'était précieux parce que ça nous obligeait à lever la tête et à développer la vision périphérique, à acquérir une vision profonde. Sans entraîneur, jeune, c'était précieux aussi pour nous permettre de développer un jeu d'initiatives. Peut-être sommes-nous tombés dans l'excès inverse aujourd'hui ?

Nous formions une équipe au hasard ou par la volonté de deux capitaines du moment, qui étaient souvent les deux meilleurs joueurs.

Je jouais avec les enfants de mon âge qui sont restés des amis précieux, comme Joseph Metz, les Burel, les Geistel et Hugues Chales. On se ressemblait, on avait la même éducation, les mêmes codes. Mais je jouais aussi avec des joueurs plus âgés qui avaient l'âge de mon frère aîné ou plus. Et quand on joue avec des enfants plus âgés, on est obligé d'être courageux, malin, de ne pas avoir peur. Avec les enfants de mon âge et ceux plus âgés, très vite j'ai compris que je pouvais m'en sortir et être accepté.

On savait à l'instinct qui était bon, qui avait bien joué, sur qui on pouvait compter.

On jouait pour s'amuser et cela comptait autant que la victoire.

Les matchs se terminaient souvent par des insultes ou des bagarres. Quand on se blessait on n'avait pas de remplaçant, on finissait ailier gauche. Il fallait tenir, serrer les dents.

Nous nous entraînions mon frère et moi dans notre chambre, dans la rue devant la maison, dans le jardin derrière le bistro, tout le temps. Pourtant nous ne parlions pas. Il me considérait comme un petit. Le bon moyen d'être avec lui c'était de jouer et de bien jouer.

Nous partions à pied vers ce qui tenait lieu de stade et, lorsque nous rencontrions une équipe d'un autre village, c'est à pied que nous allions chez eux, que nous passions d'un monde à l'autre.

C'était un football de petits amateurs, magnifique, libre, joyeux, passionné, les matchs étaient parfois interrompus par la désertion de l'un d'entre nous qui devait faire ses devoirs, aller déjeuner ou servir au catéchisme, ce qui me faisait enrager. C'était une école de la débrouillardise, de la ténacité, de la passion, de l'effort physique. Je lui dois beaucoup.

Ainsi lorsqu'on organisait un tournoi de fin de saison au village entre quatre équipes, le prêtre bénissait les équipes, les joueurs se changeaient dans le bistro de mes parents puis allaient défiler. C'était notre coupe du monde. Il y a eu ensuite d'autres grandes joies mais celle-là est inscrite en moi pour toujours.

Je pense à cette histoire racontée par un joueur serbe que j'admirais beaucoup. Il devait vivre dans un village comme le mien mais plus pauvre encore, loin de tout, perdu dans la campagne yougoslave. Quand il était petit, son oncle lui avait offert un ballon neuf, bien blanc, magnifique. Par peur de l'abîmer, son frère et lui avaient décidé de ne jamais le faire rebondir par terre, de ne jouer qu'avec la tête. Il n'avait qu'un ballon, il fallait le garder, le faire durer. Pendant un match, il avait été repéré par un entraîneur de l'Étoile rouge de Belgrade. Il a été recruté grâce aux qualités que cette forme de jeu, de tête, avait créées, développées chez lui. Quel joueur serait-il devenu avec vingt ballons à disposition ?

Ne pas abîmer le ballon offert, jouer tout le temps, développer des qualités propres par l'acharnement et l'entraînement : tout me plaisait dans cette histoire. Pour moi aussi le ballon blanc était sacré et il l'est toujours.

Je viens de ce football-là. Si j'avais eu des parents passionnés et qui m'encourageaient, si j'avais été dès l'âge de cinq ans dans ces écoles avec un entraîneur et des consignes, si j'avais lu tous les manuels, vu tous les matchs possibles à la télévision, quel joueur, quel entraîneur aurais-je été ? Le foot, je ne le voyais pas à la télévision parce que nous n'en avions pas. Parfois à l'école. Chaque enfant emportait un franc et nous regardions à la télé en noir et blanc un match. C'est peut-être là, à l'école, que j'ai vu la finale de la Coupe des clubs champions européens en 1960, à 11 ans : le Real Madrid s'est imposé 7 à 3 face à l'Eintracht Francfort. À l'époque, le Racing Club de Strasbourg était mon équipe de cœur avec une équipe allemande, le Borussia Mönchengladbach. Mais j'adorais le Real Madrid. Je trouvais que c'était le plus fort, le plus beau, le plus impressionnant des clubs. Les joueurs étaient tout en blanc, magnifiques. Ils avaient gagné cinq fois de suite la Coupe d'Europe. Il y avait là des joueurs que j'admirais comme Kopa et Di Stéfano. C'était vraiment le club rêvé. Des années plus tard, lorsque j'étais entraîneur d'Arsenal, on m'a proposé à deux reprises de devenir l'entraîneur du Real. C'est terrible de refuser le club de son enfance. Mais j'avais une mission à Arsenal, un contrat à honorer, une parole donnée. D'ailleurs je suis sans doute l'entraîneur qui a dit non le plus souvent : au PSG, à la Juve, à l'équipe de France, à celle du Japon. Et chaque fois c'était difficile mais un engagement doit se respecter, et cette morale-là je suis sûr qu'elle me vient aussi de l'enfance.

Le football, c'était un monde lointain, inaccessible, et personne autour de moi ne pensait qu'il pourrait devenir mon monde, ma vie. Dans le secret de mon cœur j'espérais que le football occuperait toujours la première place dans ma vie, parce que sans ce rêve, j'étais sûr d'être malheureux : à l'inverse des autres, je voulais sortir de mon village, fouler une vraie pelouse, connaître de vrais combats.

C'étaient des années d'espoirs et de découvertes. Quand je discute avec des joueurs qui viennent de loin, d'Afrique en particulier, je sais et je reconnais l'importance capitale de l'enfance, du lieu où ils ont grandi, la façon dont le lieu a façonné leur corps et leur personnalité. L'Alsace, cette enfance, m'ont donné des codes, une morale, une endurance. Tout comme elles m'ont façonné physiquement. Il en reste des traces : j'ai par exemple un creux en haut de la colonne vertébrale, un creux qui a fait dire à certains médecins qu'à quarante ans je serais dans un fauteuil roulant. On a pensé que c'était à force de porter les sacs très lourds de charbon.

34

Le creux est toujours là, il n'a pas gêné mes courses de joueur et je suis toujours debout.

Bien sûr pour devenir un bon joueur de foot, la technique compte et elle s'acquiert jeune, entre 7 et 12 ans, mais elle n'est pas suffisante : ne pas avoir peur, savoir prendre des initiatives, être endurant, constant, solidaire, être un peu fou, avoir une passion d'enfer, je suis sûr que cela aussi s'acquiert jeune.

Je sais qu'enfant j'avais déjà une grande soif de me connaître, de me confronter à mes limites, de les dépasser. Et le foot était l'instrument de ce dépassement. Je ne voulais pas subir mes insuffisances physiques et mentales, je voulais les comprendre et les surmonter. Venant de mon village, ne parlant qu'alsacien, je ne comprenais pas grand-chose à l'école et je ne travaillais pas du tout. Mes parents étaient très occupés, j'étais donc très libre et j'avais un comportement « touriste » à l'école. Par chance, j'ai eu une subite prise de conscience à 15 ans et j'ai rattrapé tout seul tous les programmes. J'ai compris qu'en travaillant je pouvais être bon. J'ai eu mon bac puis une licence d'économie à l'université de Strasbourg. Les domaines abordés et étudiés me permettaient de mieux comprendre la vie des clubs, de concevoir leur budget, leur investissement, l'achat des joueurs. Et plus tard encore, je suis parti à Cambridge à 29 ans pour être à l'aise en anglais. J'étais sûr que ça me servirait pour le football.

Mes 14 ans, l'âge de la communion catholique, le fameux âge où pour les hommes du village on devient un homme, on part à l'usine ou aux champs, et on reçoit une montre et une cigarette, tout a changé. Je ne suis pas allé à l'usine mais j'ai reçu une montre. J'ai fumé bien plus tard à Cannes avec mon ami Jean-Marc Guillou lorsque nous discutions pendant des heures de foot toutes les nuits. Mes parents ont vendu le bistro. Ma mère a arrêté de travailler et mon père s'est occupé pleinement de l'entreprise qu'il avait créée.

On a déménagé dans une maison du village que mon père avait construite. Ce qui restait, c'était le foot avec l'équipe de jeunes de Duttlenheim, c'était le souvenir du bistro, des années que nous y avions vécues, des leçons apprises, des réunions du club de foot, un souvenir toujours vivant.

2.

Le jeune homme
qui jouait au foot

Dans les années 60, avec mon frère, nous jouions dans l'équipe de football de Duttlenheim. Nous étions peut-être bons mais il me semblait que tout était à faire, à démontrer. Le club nous disait qu'on était doués, voire parmi les meilleurs du village, mais ça ne pesait pas grand-chose. Notre club jouait à l'échelon le plus bas du département et nous perdions souvent. En nous organisant, en y mettant le plus de passion possible, je me souviens aussi de belles victoires et d'une entraide magnifique, de coups de gueule retentissants entre joueurs et d'une école de la débrouillardise, de l'initiative, parce que nous n'avions pas de coach.

Nous jouions en rouge et blanc. Le hasard a voulu que ce soit toujours les couleurs des équipes que j'allais coacher plus tard.

On ne s'entraînait pas ; on jouait le mercredi soir pour le match du dimanche et de façon anarchique. Il y avait un comité qui faisait l'équipe pour le match suivant et c'était tout. Dans le village, il commençait tout juste à y avoir des installations électriques qui permettaient de s'entraîner tard le soir. Des années après, j'ai découvert d'autres clubs, d'autres divisions, des équipes mieux préparées et mieux coachées, et j'ai découvert les forces et les faiblesses que ces années à Duttlenheim m'avaient laissées. Je l'ai payé notamment par un déficit de formation physique. Entre nous – des gars qui venaient tous du même village, à l'exception d'un ou deux joueurs qui jouaient avec nous parce que le club et le village s'ouvraient peu à peu – nous n'avions jamais fait une séance physique, jamais de course.

Je crois que je compensais ce défaut de préparation, de sérieux et d'encadrement par un acharnement, une passion démultipliée. Je jouais pour gagner et pas uniquement pour m'amuser ou parce que c'était la seule distraction du village, avec le bal populaire où j'étais aussi très bon. Je me souviens que personne ne m'a appris à danser : on apprenait en invitant une fille, en se lançant, en oubliant d'avoir peur. Comme la nage. Il n'y avait pas non plus de professeur de natation comme aujourd'hui : on vous lançait à l'eau et il fallait se débrouiller.

À chaque match le dimanche j'avais l'impression de jouer ma vie. J'étais tendu avant et après tous les matchs et il m'arrivait d'être très mauvais perdant, mais pendant le match c'était la libération : j'avais une énergie exceptionnelle et j'ai découvert petit à petit que j'aimais cette tension extrême que je ressentais avant chaque rencontre, comme j'aimais ces 90 minutes sur le terrain. J'étais complètement absorbé par le jeu, dans la bulle du jeu, et rien ne pouvait me distraire. Il arrivait par exemple qu'il pleuve et je ne m'en rendais compte qu'après le match, quand je rentrais complètement trempé dans les vestiaires. J'aimais l'effort, j'aimais me confronter à lui, à la douleur : avoir mal, de la peine, courir plus vite, tout le temps, ça faisait partie du jeu, de l'art et, même à Duttlenheim, je recherchais cette compétition avec moi-même. Ça m'a beaucoup servi quand il a fallu faire mes preuves ailleurs et rattraper mes défauts de technique : par exemple dans l'accueil du ballon ou dans la première touche qui n'était pas aussi fine que je l'aurais voulu, et puis ma puissance physique était insuffisante. Mais ce qui comptait le plus était ailleurs et je l'ai compris dès mes premiers pas dans notre modeste équipe. J'aimais jouer, m'exprimer sur le terrain, me dépasser, me défoncer. J'aimais les duels, le un contre un. J'étais tenace et endurant. Tout de suite j'ai compris que j'avais également une bonne analyse tactique du jeu.

Pendant ces années, avec ces joueurs qui pour certains d'entre eux sont restés des copains, nous avons connu des victoires qui ont fait la fierté du village !

Pourtant ce n'est pas une victoire qui va changer ma vie mais une défaite. À plate couture : 7 à 1.

Je jouais milieu de terrain avec l'équipe de Duttlenheim contre l'équipe de l'AS Mutzig, entraîné par Max Hild. L'AS Mutzig avait une autre dimension que l'équipe de Duttlenheim. Un entraîneur, une équipe évoluant en CFA, une préparation, un sérieux que nous n'avions pas. Nous étions en troisième division départementale et eux en troisième division nationale.

Le match fut une catastrophe pour nous et j'étais furieux contre moi, déçu. Dans l'équipe d'en face, je connaissais des joueurs et notamment Jean-Marie Duton, milieu de terrain lui aussi, qui est resté un ami et qui m'a raconté cette histoire. Max Hild entra dans les vestiaires, les félicita pour le match gagné, et puis il ajouta : « Mais aujourd'hui surtout j'ai vu un grand joueur, un milieu de terrain extra. » Jean-Marie Duton se leva, pensant que c'était de lui que Max faisait l'éloge. Mais il parlait de moi, le milieu de terrain de l'équipe adverse et défaite. Jean-Marie m'en a toujours un peu voulu, et pourtant ça n'a pas empêché notre belle amitié. Il se consolait en répétant, non sans humour, qu'il s'était vengé en épousant ma première petite copine.

C'était aussi ça le foot à ce moment-là : des équipes qui s'affrontaient, du respect mutuel, des amis pour la vie.

Après ce match, tout a changé. J'ai intégré l'AS Mutzig en 1969 : je découvrais enfin l'entraînement, une nouvelle dimension, de nouveaux enjeux, de nouveaux défis. Et surtout un entraîneur qui a été pour moi comme un père de football et mon modèle.

Max Hild était né en 1932. C'est un Alsacien, qui avait grandi et avait été forgé par l'Alsace. Et un très grand amoureux du football. Il avait commencé à jouer à Weyersheim, là où il était né. Et puis il avait connu la belle équipe du Racing de Strasbourg et la première division. Il avait joué aussi à Bischwiller, à Wittisheim et à Mutzig où il était devenu entraîneur. Et il s'était formé sur le tas. C'était déjà un bon joueur, un milieu de terrain distributeur, il portait le numéro 6. Mais à Mutzig, dans ce club sponsorisé par la brasserie Wagner, c'est là qu'il devint comme entraîneur en 1966 un tacticien, avec un amour du jeu, une vision et un goût uniques pour repérer les talents, les faire progresser.

C'était un petit bonhomme d'un mètre soixante-sept, avec un accent alsacien très fort, une bonhomie, une bienveillance, une curiosité et une passion pour le foot qui ont éveillé, développé la passion que j'avais en moi. Il a senti mon impatience, ma soif de progresser, de jouer, d'apprendre. Et il m'a donné cette chance unique de jouer. Il ne parlait pas beaucoup. Il ne m'a jamais confié par exemple pourquoi il m'avait repéré et choisi lors de ce match : sa réponse, ses compliments et ses encouragements passaient par le jeu.

C'est grâce à Max et à ce que j'avais en moi que je suis devenu un bon joueur, et c'est grâce à lui aussi, je pense, que je suis devenu entraîneur. Après Mutzig, je suis allé jouer à Mulhouse, à Vauban et surtout à Strasbourg, au Racing, j'ai rencontré de magnifiques entraîneurs comme Paul Frantz qui entraînait Mulhouse ou Gilbert Gress qui était à Strasbourg avant Max Hild et qui avait été champion de France. C'étaient tous des fous du jeu, les incarnations du football alsacien avec une rigueur, un sens du dépassement de soi, une envie de jeu. Ils se connaissaient d'ailleurs et s'appréciaient. Paul Frantz avait eu Gilbert Gress comme joueur à Strasbourg, Max Hild avait joué contre Gilbert Gress en amateur, Gilbert Gress avait fait venir Max Hild comme entraîneur du centre de formation de Strasbourg et Max m'a emmené avec lui. J'aime ces liens, ces croisements, ces entraides. C'était une époque où la fidélité et l'amitié comptaient. J'ai ainsi suivi Max partout après Mutzig. Dès qu'il m'appelait auprès de lui je le suivais. C'est vraiment celui qui m'a le plus marqué et influencé. Il est mort en 2014. Avec quelques joueurs de l'époque, nous sommes allés sur sa tombe, lui témoignant, chacun en silence, ce que nous lui devions.

À Mutzig, il avait réussi à rassembler des hommes et à créer une atmosphère unique. Cette osmose, ces amitiés entre joueurs et avec lui sont restées. On jouait, on s'entraînait, on mangeait ensemble, on discutait football. On était presque toujours ensemble et j'apprenais beaucoup. Pourtant, au début, rien ne fut évident.

Il a fallu que je m'adapte au changement de rythme. Soudain on s'entraînait deux fois par semaine et, comme je ne l'avais jamais fait avant, je me défonçais à l'entraînement et le samedi j'étais mort.

J'étais plein de doutes. Je n'étais pas sûr d'avoir le niveau. À l'entraînement, les autres joueurs me testaient. Ils me mettaient le pied pour voir comment je réagissais. Si je me couchais, si je me révoltais, si je me dégonflais. C'est là que j'ai appris que dans le vestiaire tu dois être capable de dire très vite aux autres joueurs : « Il faut compter sur moi. » J'ai appris à m'imposer. À me battre.

J'ai appris aussi à transformer le doute en force. Je ne voulais pas que la peur – la peur du jugement des autres et la peur des conséquences – me tétanise sur le terrain, m'empêche d'avancer.

C'est là aussi que le rôle de Max a été important. Avec Mutzig, dans un premier temps, je n'étais pas transcendant, je ne trouvais pas ma place et Max a eu le mérite d'insister. Il m'a gardé dans l'équipe. Il m'a fait jouer. C'était une leçon : il faut laisser du temps aux joueurs. Aujourd'hui c'est un défaut : les joueurs sont mieux préparés mais ils ont moins le temps.

À chaque nouveau club, il m'a fallu réapprendre, refaire mes preuves, surmonter mes insuffisances. Mais j'étais tempétueux. Et j'ai vite compris, à Mutzig, à Mulhouse, à Vauban, à Strasbourg, dans tous les clubs où j'ai joué puis dans tous les clubs que j'ai entraînés, que la vie est un parcours jalonné de souffrances qui nous font progresser avec nos peurs, nos péripéties intérieures.

Après Mutzig, j'ai été recruté par le FC Mulhouse en 1973. C'est là que j'ai rencontré Paul Frantz. Et comme à Mutzig, les débuts ont été difficiles. La première année a été la plus dure. J'avais du mal à trouver mes marques, j'ai été blessé. Je ne retrouvais plus la confiance, la réussite, l'encadrement que j'avais pu avoir à Mutzig. Mais la deuxième année j'étais pleinement là. Pendant ce temps j'avais continué à m'entraîner, à progresser avec acharnement. Ça avait payé et surtout ça m'avait offert une place dans l'équipe que je n'avais pas soupçonnée. Lorsque le club a traversé des difficultés financières, les joueurs m'ont désigné, avec deux d'entre eux, pour négocier les salaires et les primes avec le président. C'est peut-être la première fois que je négociais et parlais d'argent en pensant à la fois aux intérêts du club et des joueurs. On a trouvé un accord. On touchait 50 % de notre salaire pendant la saison et en cas de maintien le reste. Je croyais que nous avions trouvé un compromis acceptable par tous, juste, équilibré. Mais plus tard j'ai découvert que des joueurs s'étaient désolidarisés, étaient allés négocier leur cas personnel avec le président et avaient continué de toucher leur salaire à 100 %. Et surtout comme je suis parti à la fin de la saison à l'AS Vauban pour suivre Max Hild, les 50 % restants du salaire qui auraient dû m'être versés ne l'ont jamais été.

Mulhouse fut ainsi une excellente école qui m'a préparé à la suite de ma carrière : j'aimais négocier, penser au groupe, être un pont entre les joueurs et les dirigeants, j'aimais les sacrifices, le sentiment de mériter vraiment notre salaire. Et j'allais rencontrer parfois mensonges, trahisons et coups bas.

Après plusieurs saisons à Vauban, grâce à Max Hild toujours, je devins joueur du Racing Club de Strasbourg en 1978. Le rêve se réalisait. C'était le club qui nous fascinait enfants, le club qui nous semblait inaccessible. Du coup j'ai voulu tout donner pour lui. J'étais le premier à l'entraînement et s'il l'avait fallu je me serais entraîné quatre fois par jour. Je passais ma vie sur le stade. Je ne comptais pas mes heures et j'habitais rue de Rome, à dix minutes du club. Mais je n'avais pas l'impression de me sacrifier. Ça me semblait évident : c'était là que je voulais être.

À Strasbourg j'étais à la fois joueur, responsable du centre de formation et leader de l'équipe des Espoirs. C'est grâce à Max Hild que j'ai commencé à me partager entre ma vie de joueur et ma vie de jeune entraîneur. Avec Max nous avions de longues discussions. On allait voir ensemble toutes sortes de matchs et en particulier en Allemagne. Nous ne manquions rien, de l'échauffement jusqu'à la fin du match. De ces voyages on rentrait parfois à 4-5 heures du matin, mais c'était extrêmement formateur. Je crois que c'est lui le premier qui a senti que je deviendrais entraîneur. Il m'a offert cette place d'entraîneur au centre de formation et, quand il aurait pu la reprendre après avoir été évincé de l'équipe première, il n'a pas voulu. « C'est ton tour », disait-il.

Au centre de formation je faisais tout et j'adorais ça. J'apprenais sur le tas. Je massais les joueurs, je mettais les straps, je rencontrais les parents, j'organisais les déplacements. J'allais voir tous les entraînements possibles pour apprendre. Je lisais des livres techniques pour acquérir les bases, le savoir que je n'avais pas encore, avant d'étudier au CREPS et avant ma formation à l'Institut national du football de Vichy.

Strasbourg fut pour moi comme un laboratoire de tout ce que j'allais faire ensuite comme entraîneur. J'ai eu la chance qu'on me fasse confiance, qu'on me laisse d'une certaine manière carte blanche au centre de formation. Je voulais chercher et trouver de nouvelles méthodes pour donner aux joueurs ce dont ils avaient besoin. Là encore j'ai eu des doutes. J'avais à peine 30 ans et j'entraînais des jeunes gens de 18-19 ans. Que leur apprendre ? Il fallait tout oser pour eux. Par exemple j'ai fait venir pour la première fois un psychiatre dans le club. Il rencontrait les joueurs un par un toutes les semaines pour les aider à s'évaluer, à affronter leurs peurs. C'était inédit et je ne suis pas sûr que beaucoup d'équipes le fassent aujourd'hui.

C'est à Strasbourg aussi que j'ai commencé à essayer de développer le mental des joueurs. L'exigence de performance crée la pression et le bon joueur doit toujours rester dans l'analyse lucide du jeu pour choisir une solution optimale.

Dans le développement de ma carrière d'entraîneur, beaucoup d'hommes ont été essentiels.

Au niveau régional, il y a eu les conseillers techniques, Jacky et Pierrot Demut, qui m'ont donné mon éducation de base. Avec Pierrot, nous avions de longues discussions animées la nuit au CREPS de Strasbourg.

Il y a eu Petrescu, un chercheur roumain devenu entraîneur et qui était venu faire une conférence au CREPS sur le métier d'entraîneur. Il m'a fait progresser dans la compréhension de l'apprentissage et de l'entraînement. Il avait vingt ans d'avance. Il travaillait déjà sur les exercices d'amélioration de la mémoire de courte et de longue durée et il avait une parfaite compréhension de l'apprentissage du joueur.

Au niveau national, il y a eu Georges Boulogne, qui a tout fait pour les entraîneurs. Il a créé les formations, le statut d'éducateur, il s'est battu contre les présidents pour imposer des centres de formation. Il avait été entraîneur en équipe de France. Il connaissait le métier. Il savait aussi à quel point il était solitaire et parfois ingrat. À l'époque les entraîneurs pouvaient être remerciés du jour au lendemain sans rien. C'est auprès de lui que j'ai passé mon diplôme pour être entraîneur pro. Et après notre rencontre, on est restés très proches. Souvent c'est lui qui me disait après un titre perdu, une défaite : « De temps en temps il faut laisser la place aux autres », et il avait raison, même si j'avais toujours du mal à l'accepter.

Abandonner ma place de joueur s'est fait naturellement. Un jour le président du club de Strasbourg m'a dit : « Tu commences à être trop vieux. » Piqué, je n'ai pas joué, à la surprise de tous les autres joueurs. J'ai regardé le match et... les joueurs se sont surpassés ! J'ai compris : il était temps d'être uniquement et entièrement entraîneur.

Tout a été une suite d'enchaînements progressifs, logiques, voulus. J'ai rencontré tellement de personnes magnifiques qui ont été des passerelles pour monter. J'ai saisi cette chance et j'ai su décider dans l'instant.

De ces années, de toutes ces expériences dans ces clubs et avec ces entraîneurs que j'admirais, il me reste des souvenirs merveilleux et terribles.

Je me souviens en particulier d'un match avec Strasbourg, l'année de notre titre de champion de France en 1979. Un face-à-face que j'ai perdu. On jouait contre Reims et face à moi il y avait Santamaria qui était un joueur incroyable. Il a intercepté un ballon profitant d'une de mes erreurs, et on a pris un but.

C'était ma faute. Je m'en suis tellement voulu. Et encore aujourd'hui je me souviens à quel point j'étais en colère contre moi, à quel point je me sentais coupable. Bien sûr il y a tous les buts marqués, les victoires, mais parmi les moments forts, cette erreur face à Santamaria est encore une blessure.

La culpabilité, l'injustice, la violence de certains matchs aussi – c'était encore l'époque où les arbitres détournaient les yeux, où il n'y avait pas de retransmission télé, où on éteignait les lumières après les matchs, où il y avait des guets-apens violents entre joueurs – la rage qu'on pouvait ressentir étaient des moteurs précieux.

À côté de ces sentiments parfois durs, c'était aussi une époque où je ressentais une admiration énorme pour les joueurs que je rencontrais et côtoyais. Les stars de l'époque étaient Di Stéfano, Pelé, Beckenbauer et Günter Netzer. Il était milieu de terrain comme moi et une source d'inspiration avec ses grandes frappes et ses changements d'aile. J'admirais aussi beaucoup Beckenbauer qui avait une élégance incroyable. C'était un artiste. On n'a pas joué bien sûr l'un contre l'autre mais on s'est affrontés quand il est devenu pour quelques mois entraîneur à Marseille alors que j'étais à Monaco.

J'ai connu aussi Guy Roux alors qu'il était entraîneur à Auxerre et moi joueur à Mutzig, et j'ai marqué face à lui le but de qualification. Ensuite, même si nos méthodes, nos personnalités étaient très différentes, j'ai eu du respect pour ce qu'il a fait à Auxerre, la façon dont il a emmené son équipe en Coupe d'Europe.

Pendant toutes ces années de formation, j'ai admiré les entraîneurs. Ceux qui respectaient le joueur, le jeu, la beauté du jeu, qui faisaient jouer leur équipe avant tout et qui ne misaient pas que sur la faiblesse de leur adversaire. C'était le cas de Max Hild, de Gilbert Gress ou de Johan Cruyff. Pour moi le foot n'a le droit d'être un métier que s'il a l'intention de donner du rêve aux gens. Je l'ai compris en les regardant entraîner leurs équipes.

Et je respectais infiniment les joueurs : ceux qui avaient une philosophie de jeu, qui favorisaient l'expression, qui ne craignaient pas d'aller contre leur peur, de l'affronter, de ne rien subir.

Ce sont ces motifs d'admiration que j'ai eus et cherchés chez tous les joueurs de mes clubs.

Comprendre les sentiments qui animent un joueur, sa peur ou sa colère, admirer son art quand il sert le jeu et l'équipe, respecter toujours les entraîneurs, écouter, j'ai appris et ressenti tout cela pendant ces années. J'étais prêt ensuite à quitter l'Alsace, mes mentors, mes amis, à entraîner seul, à relever de nouveaux défis.

L'ÉQUIPE
magazine

WENGER
ARSÈNE
AVANT
ARSENAL

« L'Équipe Mag » retrace en trois épisodes
l'histoire de celui qui n'a pas toujours été
le très respecté manager d'Arsenal.
Premier volet : son enfance et sa carrière de joueur.

Mes parents.
Mon père.

Avec mes parents, ma sœur
et mon frère aînés.

A Duttlenheim,
lors d'un mariage.
Devant moi, ma cousine
Martine.

Ma première équipe de foot à Duttlenheim. Mon père à gauche avec son manteau et son chapeau. Je suis debout, le 5e joueur en partant de la gauche.

À l'AS Vauban en 1976. De gauche à droite, debout : Schalk, Lazarus, Lorand, moi, Lechner, Siefert, Cordier. En première ligne : Chalber, Sublon, Bossert, Epper, Haussor.

Au centre de formation de Strasbourg où je suis joueur et entraîneur. De gauche à droite : Mosser, Veras, Vogel, Glassman, Ottman et moi. En première ligne : Ricotta, Barthel, Schaer, Jenner, Gentes.

En Coupe de France avec l'AS Vauban contre Nice. Face à moi, Roger Jouve.

UN ATOUT DE TAILLE DANS LE JEU DU FCM
ARSENE WENGER,
«UN GRAND BLOND AVEC...»

En annonçant, hier, que le FCM était en passe d'obtenir la signature d'un grand «espoir» du football alsacien, c'est bien à Arsène Wenger que nous faisions allusion. Mais, pour ne pas gêner les tractations, nous ne pouvions citer de nom.

A présent, la mutation est réglée et Arsène Wenger, 23 ans (il est né 22.10.49 à Strasbourg) passe de l'AS Mutzig

Au Racing Club de Strasbourg.

À mon arrivée à Monaco avec les nouvelles recrues. Il y a Patrick Battiston, Fabrice Mège, Rémy Vogel, Glenn Hoddle, Mark Hateley.

Avec George Weah.

La Coupe de France gagnée
contre l'OM en 1991.

La Coupe de France et une partie de l'équipe. Debout de gauche à droite : Ramón Díaz, Roger Mendy, Emmanuel Petit, Claude Puel, Franck Sauzée, Jean-Luc Ettori. Assis, de gauche à droite : Gérald Passi, Youri Djorkaeff, George Weah, Luc Sonor et Rui Barros.

Avec le Prince Rainier et Albert de Monaco lors d'un dîner pour célébrer la Coupe de France.

REGLES DE DIETETIQUE

Important : 1) - Eviter de boire en mangeant - un verre de vin à la
fin des principaux repas suffit - boire entre les
repas et au moins une 1/2 h avant de manger.

2) - Eviter l'absorption en même temps de légumes verts
et de pommes de terre.

3) - Eviter le café au lait ou le thé au lait : indigeste

RATION-TYPE EN PERIODE D'ENTRAINEMENT

Petit déjeuner
(entre 7 h et 8 h)
(café noir au réveil)

- Céréales au lait sucré
- Pain grillé - confiture - beurre
- Jus de fruit ou Fruit

Déjeuner
entre 12 h et 13 h.

- Crudité ou légume cuit assaisonné (citron-huile)
- Viande ou Poisson ou Foie
- 1 féculent ou 1 légume vert
- 1 fromage
- 1 fruit ou compote

Goûter
17 h

- Thé ou café léger ou lait
- Biscottes ou Biscuits secs

Diner
19 à 20 h

- Potage aux légumes passés
- Viande ou Poisson ou 2 oeufs au jambon
- 1 légume vert ou 1 féculent (suivant le menu de midi)
- 1 salade ou 1 fruit
- 1 entremets au lait ou 1 yaourt

**Quantités à prendre
chaque jour**

Pain : 300 gr - P.d.t. : 400 gr
Céréales : 30 gr - Sucre : 50 gr - Confi-
ture : 50 gr
Viande : 250 à 300 gr - Lait : 0 1 400
Fromage : 60 gr - Beurre : 30 gr - Oeuf :
1/2
Légume vert : 500 gr - Fruit : 150 gr
Agrumes : 150 gr

Au moins : 1 repas par semaine prendre du foie
- à la place de la viande
2 à 3 repas par semaine prendre du poisson.

LA VEILLE DU MATCH

- repas habituels mais remplacer de préférence la viande par du foie
  de veau et éviter les féculents ainsi que les boissons alcoolisées.

APRES LE MATCH

- <u>Boire</u> : 300 gr d'eau de Vichy contenant 1 gr de sel
- <u>Eviter</u> : toute boisson alcoolisée ou riche en gaz carbonique
- <u>Prendre</u> : 1/2 heure avant le diner 1/2 1 d'eau d'Evian

- <u>Au dîner</u> :
  - 1 bouillon de légumes salé
  - 1 plat de pâtes ou de riz ou de P.d.t. avec 15 gr de
    beurre frais
  - 1 salade verte à l'huile ou au citron avec 1 oeuf
    dur
  - 1 ou 2 tranches de pain (hypazoté) ou biscottes
  - 1 ou 2 fruits mûrs
  - 1 verre de bordeaux

LE LENDEMAIN

- <u>Petit déjeuner</u> : - 1 gr. tasse de café léger ou thé sucré avec
  (10 h)   biscottes
  - 1/4 1. de jus de fruit frais

- <u>Déjeuner</u> : - 1 légume crû - 1 plat de pâtes ou riz servi avec beurre ou fromage râpé
  - 1 salade à l'huile ou au citron - Fruits mûrs ou secs
  - 1 verre de vin

- <u>A 16 h</u> : - 1/4 1 de jus de fruit
- <u>Diner</u> : - Habituel avec viande ou poisson

LE SURLENDEMAIN

- Les 4 repas doivent être copieux - Petit déjeuner habituel, plus
  1 tranche de jambon - Déjeuner habituel, plus gâteau de riz ou de
  semoule - Diner habituel, plus fromage.

- Les autres jours, retour au régime normal.

Au Japon, avec mon adjoint Boro Primorac et le traducteur, Go Murakami, dont nous avons sauvé la place.

Avec l'équipe du Japon après notre Coupe de l'Empereur en 1996 : de gauche à droite debout on aperçoit notamment : Boro Primorac, Takafumi Ogura, Yasuyuki Moriyama, Alexandre Torres et en première ligne : Franck Durix, Yusuke Sato, Dragan Stojkovic, Tetsuya Asano, Tetsuya Okayama, Takashi Hirano.

Avec ma fille Léa.

Avec Annie et Léa.

Avec Tony Adams, en 1998, nous réalisons avec Arsenal le doublé : Coupe d'Angleterre et Championnat de Premier League.

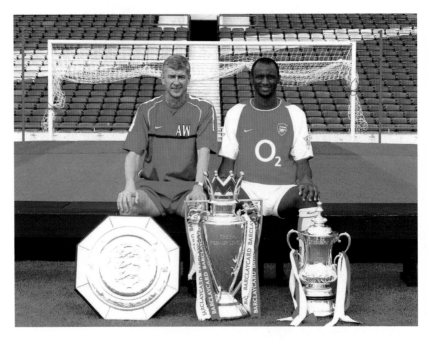

Avec Patrick Vieira et les trois trophées : la FA Cup, la Premier League et la Community Shield en 2002.

Face aux supporters.

En hiver, dans un état désespéré.

Avec Thierry Henry.

Avec Cesc Fàbregas.

3.

Les premières années comme entraîneur à Cannes et à Nancy

Le Racing Club de Strasbourg était ma passion de jeunesse. J'étais entraîneur du centre de formation, je passais tout mon temps avec les joueurs. J'essayais d'assister au plus grand nombre possible de matchs en Alsace, en Allemagne. Je lisais tout ce que je pouvais trouver sur l'art de l'entraînement. J'avais aussi créé à l'intérieur du centre de formation une école pour les enfants entre 5 et 7 ans... J'avais une liberté qui me permettait d'influer sur la vie du club, de travailler comme je le voulais, en innovant toujours. J'aurais pu rester là longtemps et mes mentors, comme les dirigeants du Racing, me le conseillaient : continuer à travailler avec acharnement, passion, gravir les échelons et devenir un jour entraîneur de l'équipe première.

Mais une part de moi cherchait davantage l'aventure que le confort. Je voulais découvrir un nouveau football, de nouveaux joueurs, des hommes avec d'autres méthodes d'entraînement, pour progresser toujours.

Pendant un match opposant mon équipe et l'équipe réserve de Mulhouse, j'ai rencontré Jean-Marc Guillou. Ce fut une rencontre essentielle, comme celle avec Max Hild et avec Georges Boulogne.

Jean-Marc avait été un grand joueur à Angers puis à Nice. C'était un milieu offensif hors pair. Il avait aussi joué en équipe de France où il avait disputé notamment la Coupe du Monde en Argentine. Il appartenait à cette génération de joueurs fabuleux mais qu'on a un peu oubliée en ne pensant qu'à celle qui leur a succédé, une génération sacrifiée où il fallait rester des années dans un club, vivre des années d'endurance et de belles réalisations pour se faire remarquer. Ça me frappe d'autant plus qu'aujourd'hui, sans caricaturer, j'ai parfois l'impression qu'il suffit d'un match pour découvrir un joueur de talent. Après sa carrière de joueur, Jean-Marc Guillou était devenu entraîneur à Mulhouse, qu'il avait conduit de la deuxième à la première division.

Après ce match entre son équipe et la mienne, Jean-Marc avait voulu me rencontrer. On avait discuté pendant des heures. Ce fut une sorte de coup de foudre professionnel et amical. Jean-Marc avait – et a toujours – une force de caractère et des idées très précises sur le jeu que j'admirais et partageais. Lorsqu'il est devenu entraîneur de l'équipe première de l'AS Cannes alors en deuxième division, il m'a proposé de devenir son adjoint et d'être entraîneur du centre de formation.

J'ai pris la décision de le suivre sans en parler à personne et sans écouter ceux qui me conseillaient de rester à Strasbourg. Je suis allé à Cannes retrouver Jean-Marc Guillou et rencontrer le président du club, Richard Conte qui est devenu ensuite un ami mais qu'alors je ne connaissais pas. On a discuté et négocié toute la nuit le contrat et on ne s'est mis d'accord qu'au petit matin. Les sommes en jeu feraient rire tout le monde aujourd'hui mais personne ne voulait lâcher et ça nous ressemblait : trois hommes avec du caractère, qui ne voulaient pas perdre, pas céder, prêts à se battre. On a formé ensuite un trio magnifique, sans dispute, respectueux du poste de l'autre, avançant avec les mêmes idées et le même amour pour le club.

Cette nuit de discussion est un souvenir intact et particulièrement fort. Elle scellait une amitié précieuse, qui nous rassemble encore. Elle marquait aussi mon premier départ de l'Alsace, mes premiers pas d'entraîneur, mes premières négociations. Seul, déterminé, suivant mon instinct, soucieux de prouver aux autres et à moi-même que j'en étais capable, anxieux aussi mais sans que cette anxiété me paralyse.

J'ai gardé un autre souvenir de ce départ à l'AS Cannes qui dit bien l'état d'esprit qui était le mien et ce qu'était alors le football. Je savais que Jean-Marc cherchait un avant-centre pour Cannes. Juste avant mon départ, j'avais lu dans *France Football* les statistiques impressionnantes d'un joueur d'Orange, Lamine N'Diaye. Ses résultats faisaient de lui le meilleur buteur. Je l'appelai avant de prendre la route vers Cannes en voiture. Je me souviens presque mot pour mot de notre conversation et de ce que je lui proposai : un rendez-vous avec quelques amis à lui le lendemain sur un parking près de la sortie d'autoroute d'Orange. « Je viens avec mes chaussures. On va jouer au foot. » Le lendemain, il était là. On a joué à 4 contre 4 puis 1 contre 1 et j'ai su tout de suite quel joueur magnifique il était, son potentiel. Jean-Marc Guillou, qui m'avait rejoint et observait tout ça, partageait mon enthousiasme. Le lendemain nous l'emmenions à Cannes pour signer son premier contrat professionnel. Ce fut mon premier joueur recruté pour l'équipe et il est devenu par la suite un véritable ami. Il a longtemps joué en première division à Cannes puis à Mulhouse. Ensuite il a entraîné le Coton-Sport de Garoua, puis l'équipe du Sénégal et aujourd'hui le TP Mazembe. Mais cette première rencontre sur le parking d'Orange, je crois que nous nous en souvenons tous les deux. Peut-on imaginer un tel recrutement aujourd'hui ?

Je suis resté un an à l'AS Cannes comme entraîneur adjoint et entraîneur du centre de formation, mais cette année a été déterminante.

Le défi était de taille. J'avais un peu l'impression en quittant Strasbourg pour Cannes d'abandonner une Rolls-Royce pour une 2 CV. Comme si j'acceptais de descendre de niveau, mais c'était excitant aussi parce qu'on était au commencement de quelque chose et que l'osmose entre Jean-Marc, Richard et moi était parfaite. L'AS Cannes était un club en chantier, en deuxième division, sans structure professionnelle. Avec Richard Conte et Jean-Marc Guillou, il fallait tout faire : créer un centre de formation, recruter des jeunes, faire des essais, restructurer l'équipe, repenser les entraînements, se donner presque 24 heures sur 24. C'était un gros travail et je crois que c'est pour ça que ça m'a autant plu, que cette année a été si intense et formatrice.

Les premières semaines, dans cette ville du Sud où je ne connaissais que Jean-Marc et Richard Conte alors qu'à Strasbourg, j'avais toute ma famille et mes amis, n'ont pas été simples. C'était un arrachement de quitter l'Alsace. J'étais dans un très grand isolement. J'avais trouvé un appartement où je vivais comme un ascète. Il n'y avait qu'un lit, un canapé, une télévision qui me permettait de regarder toutes les nuits les matchs que j'avais enregistrés encore et encore. Mais vivre complètement cette solitude m'a aidé à comprendre l'état d'esprit du joueur qui arrive dans un club et une ville qu'il ne connaît pas. En pensant à ça, j'ai toujours laissé du temps au joueur, au moins six mois, pour qu'il trouve ses repères, qu'il se sente chez lui, et qu'il se concentre sur le jeu.

Mener cette vie isolée, solitaire, sans repère, a été une révélation. J'ai compris que je pouvais vivre n'importe où et seul avec ma passion, sans aucune interférence, sans confort affectif. Que les angoisses ne disparaîtraient pas mais que je pouvais vivre avec. Que j'étais un solitaire qui aimait être avec l'équipe, qui aimait autant la solitude de la décision et de la préparation que le partage du plaisir du jeu, de l'intensité du match.

C'était difficile aussi au début de quitter le football alsacien pour un football avec une technique et une mentalité très différentes. À Cannes et dans le sud de la France en général, le jeu est plutôt dans les pieds alors qu'en Alsace il est plus long, la passe moyenne est plus longue, on joue davantage dans les espaces. À Cannes, le jeu était donc plus court, plus dans les pieds, plus technique. Et plus violent. C'est l'autre différence majeure : la violence des oppositions, l'intimidation de l'arbitre, de l'équipe adverse, qui s'accompagne d'une forme d'impunité et du coup pour l'entraîneur d'un sentiment d'impuissance. Je m'y suis habitué vite mais je ne les connaissais pas à un tel degré en Alsace. Là encore cette découverte a été formatrice : pour les jeunes joueurs, il fallait faire face, montrer qu'on n'avait pas peur, qu'on était prêt à répondre, et j'ai aimé cette nervosité, cette passion, cette tension.

Entre le centre d'entraînement et mon rôle d'entraîneur adjoint de l'équipe première, le travail était conséquent. Il m'arrivait de diriger quatre entraînements par jour ! Les jeunes entre 8 h 30 et 10 heures puis de 14 à 16 heures, les joueurs de l'équipe première de 10 h 15 à midi et de 16 à 18 heures. Lorsqu'on partait en déplacement, j'accompagnais l'équipe, revenais le dimanche matin, faisais le décrassage sur le terrain et repartais parfois avec l'équipe réserve pour jouer à Marseille par exemple. C'était un rythme de travail soutenu que je m'imposais et que j'imposais aux autres. Ce fut une constante de toute ma carrière : on me faisait confiance et je dois dire que cette confiance était réciproque avec Jean-Marc Guillou. Je travaillais avec beaucoup de liberté et en contrepartie j'agissais comme si le club m'appartenait. Je pouvais discuter de mon contrat pendant des heures – ou même une nuit – sans rien lâcher, mais une fois le contrat signé, je donnais tout. Et surtout, je ne suis jamais allé renégocier un contrat à mon avantage.

J'étais certain que je mériterais ma place et que j'obtiendrais l'adhésion des joueurs en mettant de la qualité et de l'acharnement dans les entraînements, en étant très présent. À l'époque, c'était la force du travail qui faisait la différence, pas la puissance financière. L'objectif c'était de former une équipe qui pouvait monter en première division et créer un centre de formation de qualité. On travaillait tous, président, entraîneur, joueurs, dans ce but. Il régnait une atmosphère de travail acharné et une atmosphère familiale très douce dans le même temps. Il y avait un esprit d'équipe formidable, une union combative, une communion dans l'envie, la fête, que j'ai toujours recherchés et parfois trouvés dans tous les clubs que j'ai entraînés ensuite. Le match fini, on mangeait ensemble. Le lendemain matin, on prenait notre petit déjeuner ensemble, on discutait de tout.

Le groupe de joueurs qu'on avait réuni et formé était enthousiaste et mûr. Ce n'étaient pas des jeunes mais ils avaient une volonté d'acier : ils voulaient réussir. Il y avait bien sûr Lamine N'Diaye comme milieu de terrain mais aussi Jean Fernandez, Gilles Rampillon et Yves Bertucci, des attaquants comme Patrick Revelli et Bernard Castellani et en défense Gilles Eyquem, Baptiste Gentili et Bernard Casoni.

C'est à Cannes que j'ai mieux compris les joueurs et que j'ai découvert qu'en partant de presque rien, avec des moyens dérisoires mais beaucoup de volonté, on pouvait progresser et réussir. Il y a eu d'autres exemples de réussite de petits clubs, comme Auxerre autrefois ou Amiens aujourd'hui.

Et puis Cannes c'est le temps des premières erreurs.

Le joueur, comme l'entraîneur, apprend du jeu, du terrain.

Avec Jean-Marc, au début, on connaissait mal l'équipe, on évaluait mal le poste de chacun. Nous étions une équipe avec une dynamique offensive très forte et un déséquilibre vers l'avant. On prenait trop de buts. Jean-Marc était un grand innovateur. Il n'avait pas peur de prendre des risques. Dans le football, l'équilibre de l'équipe est essentiel et on met du temps à le trouver et, parfois, cet équilibre dépend d'un seul joueur. J'ai beaucoup appris à ses côtés. J'ai compris que le football doit se construire dans un équilibre entre possession et progression. Je me suis rendu compte que l'esprit offensif ne doit pas être sans secours, qu'il faut évaluer les risques et trouver un bon compromis, qu'il faut un nombre de constructeurs de jeu suffisant et un nombre de joueurs créatifs suffisant pour prendre en main la construction du jeu. Et que je voulais être de ces entraîneurs, comme Jean-Marc ou Max Hild, qui ne misent pas seulement sur les faiblesses de l'adversaire.

Avant Cannes, à Strasbourg, au centre de formation, je m'intéressais surtout au développement du joueur pour le futur. À Cannes, l'objectif c'est le présent. Il faut avoir des résultats rapides. Toutes les décisions deviennent importantes et les conséquences se voient très vite. Nous entrons dans le court terme. Nous créons une équipe et il faut trouver une osmose et un équilibre rapidement.

Souvent un changement de poste peut faire décoller un joueur. Le sens de l'observation de l'entraîneur joue une part capitale là-dedans. Plus que tous les tests psychologiques, le jeu est le véritable révélateur de la personnalité des hommes. Il n'y a plus de vernis social. On devient qui on est vraiment.

À Cannes peut-être avons-nous fait une autre erreur que nous avons évitée par la suite. En début de saison, nous étions partis avec l'équipe trois semaines à Saint-Martin-Vésubie et nous avions « exténué » les joueurs en les entraînant trop fort. Nous avions préparé trois entraînements par jour et des courses dans la montagne tous les matins. Certains joueurs se couchaient à 20 heures mais ne parvenaient pas à dormir, ils me disaient, sans plaisanter : on redoute trop la journée de demain.

Les joueurs ont démarré en manquant de jus. Et ils ont mis du temps à s'en remettre. Plus tard, nous avons continué à entraîner dur mais nous avons diminué le rythme et gagné en précision, en qualité. Je continue à penser qu'aller au-delà de la douleur pendant l'entraînement permet de la supporter pendant les matchs, mais j'ai compris aussi les défauts d'une préparation trop lourde qui pénalise le début de saison.

L'autre grande leçon de Cannes, c'est que je pouvais être en première ligne et entraîner les pros. Et que j'aimais ça. Jean-Marc Guillou était parti quelques semaines en Côte d'Ivoire pour recruter un joueur fabuleux, un attaquant que j'ai retrouvé ensuite à l'AS Monaco : Youssouf Fofana. C'était un joueur spectaculaire avec une force explosive incroyable. Soudain, sans Jean-Marc, j'étais confronté aux vrais problèmes de l'entraîneur : je faisais l'équipe seul, partais en déplacement, assumais le résultat. J'aimais cette responsabilité, j'aimais cette tension permanente, j'aimais ce pouvoir. C'est vraiment à Cannes à ce moment-là que ce poste convoité est devenu pour moi une évidence, que mon ambition s'est affirmée.

La saison s'est terminée sur une défaite en quart de finale de la Coupe de France contre Monaco. Mais avant nous avions éliminé Bastia qui était une belle équipe et surtout on sentait que l'équipe montait, prenait confiance, gagnait en puissance et que le club avait de l'avenir. Plus tard, avec des joueurs confirmés comme Alain Moizan, Albert Emon, Lacuesta et Daniel Sanchez, le club allait monter en première division avec, à ses commandes, Fernandez et Richard Conte. Et puis le centre de formation que nous avions créé a accueilli des joueurs exceptionnels comme Zidane, Vieira, Johan Micoud.

À la fin de cette année, j'avais reçu des propositions de Sochaux et de Nancy. J'en avais parlé aussitôt à Jean-Marc qui m'avait encouragé en me conseillant le club de Nancy. C'étaient les plus insistants et il y avait aussi Aldo Platini comme directeur sportif, nous nous aimions beaucoup. J'avais rencontré le président. Ma décision était prise. Je quittais Cannes pour Nancy. Je signais mon premier contrat pro en première division.

À 33 ans, à Nancy, je devenais entraîneur de l'équipe première. Et je passais à un autre niveau en dirigeant un club de première division. Je rentrais dans un autre monde où les entraîneurs s'appelaient Jacquet, Suaudeau, Houllier, Daniel Jeandupeux, Guy Roux, qui allaient tous faire de grandes carrières, un monde où j'allais vraiment être testé et où je devrais faire mes preuves. Certains joueurs étaient des hommes expérimentés qui me regardaient au début avec une forme de méfiance, de réserve : Eric Martin, Ruben Umpierrez, Bruno Germain, Didier Casini, Didier Philippe, Albert Cartier. J'ai fait venir de Reims Jean-Luc Arribart, qui était un excellent joueur. C'était une équipe solide, expérimentée mais au sein d'un club qui n'avait pas d'argent. Le club avait eu un président visionnaire, Claude Cuny, qui avait permis à l'AS Nancy de se professionnaliser et qui l'avait doté de structures de belle qualité et d'un centre de formation. L'équipe avait eu un capitaine magnifique, Michel Platini, et connu de très belles victoires comme la Coupe de France contre Nice en 1978. Platini, joueur exceptionnel, grande star des années 80, allait être le guide de l'équipe de France et j'aimerais rendre hommage à cette génération qui a redonné confiance au football français et qui a « dépucelé » la France en lui offrant son premier titre de champion d'Europe en 1984. Tous les grands titres du football français se sont construits là-dessus.

C'était un gros challenge pour le jeune entraîneur que j'étais et aussi une vraie école : il fallait équilibrer le budget, vivre petitement, faire avec ce qu'on avait contre des clubs comme Metz ou Bordeaux, des villes davantage tournées vers le football avec des finances plus larges et des supporters plus nombreux.

J'étais en première ligne évidemment. Ce furent trois années passionnantes, difficiles parfois mais très formatrices. Dans cette aventure, je pouvais compter sur un directeur sportif, Aldo Platini, le père de Michel, qui avait un bon coup d'œil, des appréciations passionnantes et avec qui je discutais beaucoup –, et des dirigeants qui, comme à Cannes et comme dans les autres clubs que j'entraînerais, me laissaient carte blanche. Malgré le peu de moyens, je pouvais progresser à ma manière, apprendre, mettre en place mes méthodes, innover.

J'étais aussi concentré sur tout ce qui contribue à la performance et qui n'est pas l'entraînement : la diététique, les massages, la préparation mentale, le sommeil, la qualité de vie, l'entourage. La façon dont le joueur vit, se préparant constamment. J'avais déjà commencé à y penser beaucoup en Alsace, notamment avec Pierrot Demut. Un joueur s'entraînait et puis perdait hors du club tous les bénéfices de l'entraînement. Or un joueur doit faire face à tout et se mettre en condition pour atteindre la plus belle performance. L'enjeu véritable est la progression du joueur.

L'entraînement invisible est une part de ce qui permet la progression. C'était une innovation. La façon dont un joueur aborde l'entraînement est déterminante. Il faut s'entraîner pour gagner. Entre un joueur qui s'entraîne avec acharnement pour progresser et un autre qui se contente de son niveau, il y a un fossé énorme au bout de cinq ans de carrière.

C'est à Nancy – aussi avec cette équipe constituée la première année de joueurs expérimentés puis la deuxième et troisième année de joueurs plus jeunes issus du centre de formation dirigé par Alain Perrin, futur entraîneur du club – que j'ai pu mieux observer encore les joueurs et comprendre des mécanismes, d'attaque, de défense, de peur, essentiels. Beaucoup d'entraîneurs le deviennent sans avoir été joueurs et sans être passés par des centres de formation où évoluent les plus petits dès 5 ans jusqu'aux adolescents de 15-17 ans. J'avais eu la chance d'être passé à Strasbourg puis à Cannes par ces centres et de continuer en tant qu'entraîneur à m'intéresser à la formation, aux étapes qui permettent aux joueurs d'acquérir d'abord la technique (entre 7 et 12 ans) puis de se développer physiquement (entre 12 et 16 ans), puis d'approfondir leur résistance mentale (entre 17 et 19 ans) et enfin entre 19 et 22 ans d'acquérir l'essentiel, qui est comme le toit d'une maison, sans quoi tout le reste pourrit : l'intelligence, la motivation. C'est un travail de longue haleine. Pendant ces trois ans à Nancy puis encore davantage à Monaco ou à Arsenal, je savais que c'était là l'essentiel.

Le joueur grandit, passe par toutes ces étapes et se met au service du jeu. Ça doit être sa seule religion. Servir l'intérêt du jeu, prendre la décision optimale dans chaque situation à laquelle il est confronté. Ce qui signifie parfois aller contre la tentation individuelle. Un joueur ne peut pas le comprendre tout de suite. Il lui faut du temps : pour accueillir le ballon, lutter contre l'adversaire, évaluer le risque de perdre la balle, et trouver une décision. Le rôle de l'entraîneur est de faire comprendre au joueur tout ce qui sert l'intérêt du jeu. Pour ça il doit s'adresser à l'enfant qui vit dans chaque joueur, à l'adolescent qu'il était et à l'adulte qu'il est. Trop souvent un entraîneur a tendance à ne s'adresser qu'à l'adulte, avec des injonctions de performance, de victoire, de réflexion, au détriment de l'enfant qui joue pour le plaisir, dans l'instant présent.

J'ai toujours essayé de préserver mes joueurs de tout environnement pesant et de les faire vivre dans l'instant du jeu, libérés de la crainte du jugement et de la peur des conséquences.

Souvent quand un jeune entraîneur vient me voir et me demande des conseils, je lui dis d'imprimer sa vision du jeu et de ne pas oublier que le jeu est aussi un bon coach et que l'observation est souvent aussi efficace que la parole.

Au football, pendant un match, il y a des milliards de combinaisons possibles et c'est ce qui rend ce sport si merveilleux, si riche, si surprenant. Le joueur adapte sa technique tout le temps à la situation. Il ne peut pas agir par automatisme. Il doit se préparer, se corriger, trouver sa place, décider : tout cela s'acquiert, se travaille, s'enrichit, mais il devra décider en innovant sans cesse parce qu'une situation ne sera jamais exactement la même que celle vécue à la précédente action, au précédent match. Notre sport dépend de trois critères : maîtrise du ballon, prise de décision et qualité de l'éxecution.

L'entraîneur doit inculquer à son équipe le respect du jeu, le souci du collectif. Partout où j'ai entraîné, des joueurs ont été un peu laxistes avec cette règle. C'est à l'entraîneur de les convaincre que ce qu'ils donnent à l'équipe, l'équipe le leur rend. Mais plus le niveau s'élève, plus la compétition s'intensifie, plus ces joueurs-là sont un handicap pour une équipe. J'ai toujours cherché, depuis Nancy jusqu'à Arsenal, des joueurs qui ne trichent pas dans leur engagement envers les autres.

C'est vraiment à Nancy que cette quête-là a pris toute la place. Ma vie est tellement associée à Arsenal aujourd'hui qu'on a un peu oublié l'importance des premières équipes que j'ai entraînées. Ce qu'elles m'ont donné, ce qu'elles m'ont appris.

À Nancy, je me suis engagé complètement pour le club pendant ces trois années. Et j'ai réussi à convaincre par mon engagement, mon exigence, ma sévérité aussi parfois. Je faisais un peu la guerre aux fortes têtes, je voulais une implication de tous à la hauteur de la mienne et du jeu. C'était crucial pour moi. Je sentais que je jouais ma carrière d'entraîneur et que rien n'était gagné. C'est là que j'ai commencé à vouloir avoir un œil partout, à devenir un manager au sens complet du mot, à décider du plus grand nombre possible de choses.

Je savais que le club n'était pas riche en comparaison d'autres clubs de ligue 1 qui avaient des subventions municipales plus conséquentes, davantage de supporters et qui pouvaient compter aussi sur les recettes des Coupes d'Europe. Je comptais l'argent comme le président. Il m'est arrivé ainsi d'aller seul en voiture jusqu'à Munich où se tenait l'ISPO et de passer, seul toujours, de stand en stand pour négocier l'achat de ballons pour le club, de conclure un accord avec Derby qui me fournissait 100 ballons par saison à un prix raisonnable. En rentrant à Nancy, j'étais fier de mon deal commercial, heureux pour le club.

Je comprenais au fur et à mesure que si je voulais de meilleures conditions – comme de meilleurs ballons – tout était important. C'est pour ça que je discutais tous les matins avec les jardiniers, que je les embêtais pour améliorer l'état de la pelouse, ou que j'ai donné leur chance à de jeunes joueurs moins chers lorsque les stars de l'équipe ont commencé à partir.

Comme j'étais très impliqué et en première ligne pour la première fois, j'ai connu des joies intenses, notamment la première année avec de beaux matchs, des victoires mais aussi mes premières vraies souffrances dues à ma passion. J'étais avec l'équipe tout le temps, j'assumais les choix, j'affrontais la déception du joueur qui n'est pas retenu le vendredi et le risque qu'il ne me pardonne pas, je devais lui faire retrouver sa confiance et sa motivation dès le lundi, et je devais surtout assumer seul la défaite. J'ai compris à quel point la défaite m'était insupportable, même physiquement insupportable. La deuxième et la troisième année, le niveau de l'équipe s'était dégradé, tout était plus difficile, les défaites plus nombreuses. J'ai appris à vivre avec la souffrance de la défaite et j'ai su que pour moi le football était une question de vie ou de mort.

Nous avions perdu un match par exemple la veille de la trêve de Noël. Je n'étais pas sorti pendant des jours. Seulement le 24 pour aller voir mes parents mais je me traînais comme un misérable, un zombie. Aujourd'hui j'ai un peu honte de mon caractère si entier, et je ne sais toujours pas pourquoi chaque défaite me faisait aussi mal, mais je sais que cette douleur, cette part sombre en moi a aussi été une école de patience, d'endurance et de rigueur : il fallait que je retrouve chaque fois les ressources pour motiver les autres tout en étant moi-même au plus mal et en cachant ce que je pouvais ressentir. Pendant la trêve de Noël je suis resté seul chez moi parce que je savais que personne n'en saurait rien, que je pouvais me le permettre, que les joueurs étaient en vacances et que, sitôt cette période noire terminée, je retrouverais mon optimisme. J'ai vécu seul avec cette douleur et les réflexions qui l'accompagnaient pendant trois semaines, et je sais aujourd'hui que c'était comme une sorte de vaccin contre tout ce qui allait arriver ensuite.

Une histoire compte aussi dans ma vie pour expliquer cette capacité de vivre avec la douleur sans qu'elle entame ma confiance en l'avenir, mon assurance qu'après toutes les défaites, une victoire est possible. À 14 ans, je suis resté plusieurs jours entre la vie et la mort, frappé par une énorme fièvre qu'on ne pouvait pas expliquer. Je me souviens – et mon corps aussi – de la souffrance que je ressentais alors. Mais un jour la fièvre a cessé et la vie a repris le dessus. J'étais encore petit à cet âge, je mesurais 1,40 m. Et mystérieusement après ça j'ai grandi très vite. À 17 ans, je faisais plus d'1,80 m. C'était une leçon : ne jamais perdre espoir, ne jamais se croire perdu.

Après j'ai acquis la conviction que je pouvais survivre à tout.

Très vite j'ai compris à Nancy que ces années allaient être parfois difficiles. La première année, après trois matchs on était premiers avec Bordeaux. On les affronte et on perd sur un but de Giresse. Cette défaite aussi m'a marqué : elle était comme un tournant. Même si on avait bien démarré, Bordeaux et d'autres nous étaient supérieurs, il allait falloir se battre. La deuxième année on a réussi à se maintenir en ligue 1 et la troisième année on y a cru jusqu'au dernier match de la saison. La chance a été d'être entourés de dirigeants qui me faisaient confiance et qui, même au moment de la relégation, m'ont proposé un nouveau contrat de 5 ans. J'étais prêt à rester, à entraîner le club et à lui permettre de remonter en ligue 1. J'ai beaucoup réfléchi. Dans le même temps j'avais reçu des propositions de Borelli au PSG et de Campora à Monaco. Je rencontrais tout le monde. C'est Richard Conte, le président de l'AS Cannes, qui me persuada de choisir Monaco.

4.

Monaco

En travaillant à l'AS Cannes avec Jean-Marc Guillou et Richard Conte, j'avais connu l'aura, l'attrait qu'exerçait Monaco. C'était un club de première division qui représentait la Principauté. Le prince Rainier suivait de près les affaires du club. La famille avait et a toujours un grand attachement pour le sport et le prince Albert est lui-même un authentique passionné. Jean-Louis Campora, que j'avais rencontré à plusieurs reprises, tenait le club depuis 1975.

J'avais à peine 37 ans, j'étais jeune pour entraîner un tel club mais j'avais de l'ambition, des idées précises sur ce que je voulais. Monaco pouvait m'offrir et offrir aux joueurs des conditions de vie, d'entraînements optimales. Et c'est pour ça que je l'avais choisi plutôt que de rester à Nancy ou de partir au PSG.

Jean-Louis Campora m'avait préféré à d'autres entraîneurs mais il me fallait être à la hauteur, faire mes preuves. Cette équipe d'hommes, ces gars solides et expérimentés se demandaient tous qui était cet Alsacien inconnu venu d'un club qui avait connu la relégation, à peine plus âgé qu'eux et qui leur semblait un peu strict et froid. Je devais leur montrer que je pouvais être digne des ambitions du club.

Le président Campora avait d'ailleurs gardé l'ancien entraîneur Ştefan Kovács dans le club, comme conseiller pour lui mais aussi j'imagine comme roue de secours au cas où je n'aurais pas été au niveau requis. J'étais au début sous surveillance. Il fallait, comme pour les joueurs qui arrivent dans une équipe et qui, un jour ou l'autre, doivent s'imposer sur le terrain et dans le vestiaire, que j'impose mes valeurs, ma philosophie du jeu, mes exigences. Pour cela, j'ai pris mes distances avec Kovács pour être plus libre et j'ai commencé à travailler avec Jeannot Petit, qui est devenu mon adjoint. Il était déjà là à mon arrivée et il avait une connaissance du club et du haut niveau. Il est important pour un entraîneur d'avoir un adjoint qui connaît la culture du club. Jeannot y avait été joueur pendant des années. Je pouvais aussi compter sur Henri Biancheri, le directeur sportif, qui lui aussi était un ancien joueur de Monaco. Ensemble on s'est très bien entendus et peu à peu à force de travail, de présence et parce que les débuts dans le championnat ont été bons, les doutes, les réserves, ont disparu.

Venir d'une équipe au statut inférieur, avoir, avant Monaco, connu des défaites nombreuses, des clubs plus modestes, des moments difficiles, des conditions moins bonnes, ça m'a donné une humilité précieuse : une humilité qui m'a servi à garder la tête froide lorsque nous avons connu dès la première année des résultats magnifiques et à ne pas désespérer quand les combats ont été durs, le climat malsain.

C'est ce mélange d'ambition et d'humilité, cet équilibre, que je portais et qui me définissait quand je suis arrivé à Monaco.

Avant le début de la saison, nous cherchions un numéro 10. Le président m'avait donné le choix entre Glenn Hoddle, meneur de jeu de l'équipe d'Angleterre, en fin de contrat avec Tottenham et qui était courtisé par le PSG, et un autre joueur qui était davantage ailier : Marko Mlinarić, un très bon joueur aussi qui évoluait au Dinamo Zagreb. Jean-Louis Campora m'avait demandé de faire l'aller-retour entre Monaco et Zagreb pour le voir jouer et prendre une décision. À mon retour, à minuit, la fille de Campora m'attendait à l'aéroport de Nice. Elle m'annonça qu'il fallait que je choisisse le lendemain à 6 heures. Je me souviens que je suis rentré chez moi et que j'ai regardé des cassettes des matchs toute la nuit, en me posant des tas de questions, sûr que l'un des deux joueurs serait déterminant pour l'équipe.

À 5 h 30, j'appelais l'agent de Glenn Hoddle : lui et Glenn étaient déjà à l'aéroport, s'apprêtant à embarquer pour Paris et rejoindre le PSG. Je leur ai dit de prendre l'avion mais en direction de Monaco. On avait besoin d'un créateur et dans les matchs que j'avais regardés Glenn donnait des ballons d'enfer. Et puis nous avions, quelques semaines plus tôt, recruté un autre joueur anglais, Mark Hateley, et je savais que les joueurs s'entendraient bien.

Glenn est devenu une légende à Monaco. Les autres joueurs de l'équipe l'estimaient et les supporters le considèrent toujours comme le joueur du siècle.

1988, ma première année à Monaco, a été comme un rêve dédié au football. J'avais trouvé un appartement à Villefranche dans le même immeuble que Richard Conte, le président de l'AS Cannes. Tous les jours je me rendais au club, à La Turbie, pour retrouver les joueurs, je ne m'intéressais qu'à eux et au prochain match. J'avais quelques amis que je voyais certains soirs et avec qui bien sûr nous parlions football ou nous regardions des matchs : Richard Conte et Jean-Marc Guillou bien sûr, mais aussi un peintre cannois, Peritza, Boro Primorac qui jouait à Cannes et que j'appréciais beaucoup, Bernard Massini, Roland Scheubel. C'était une bande d'amis qui savaient que j'étais obsédé par ma passion et qui me comprenaient et me soutenaient.

Le club, les joueurs, moi, nous avions tous de grands défis à relever : Monaco n'avait encore jamais passé un tour en Coupe d'Europe et le club n'avait pas été champion de

France depuis des années. On voulait tous que le club s'installe au plus haut niveau.

Pour ça on pouvait compter sur l'ambition de Campora qui connaissait très bien le foot, qui était très ami avec le président de la ligue Jean Sadoul. C'était un gagneur et il était presque aussi mauvais perdant que moi. Il avait bâti un magnifique centre de formation et j'ai eu de très belles relations avec son entraîneur Pierre Tournier et celui qui s'occupait des plus jeunes, Paul Pietri.

On pouvait compter aussi sur une équipe de rêve avec de très bons joueurs. Des hommes qui pour certains avaient été formés par Gérard Banide, entre 1979 et 1983, des hommes solides, bien installés dans l'équipe comme Manuel Amoros, le meilleur arrière gauche du monde, Claude Puel, notre gardien de but Jean-Luc Ettori, force très influente à l'AS Monaco, Dominique Bijotat, Bruno Bellone et Luc Sonor... Ces joueurs dégageaient une grande confiance sur le terrain : ils savaient ce qu'ils voulaient, ils ne se laissaient pas marcher sur les pieds, je l'ai senti tout de suite aux entraînements et lors des premiers matchs. Leur charisme tenait à leur savoir et à leur expérience. Quand c'était difficile, ils gardaient la maîtrise d'eux-mêmes. Et puis ils étaient à la fois de grands professionnels et des bons vivants, cet esprit-là s'est perdu après eux. C'était une génération qui commençait à bien gagner sa vie mais qui n'oubliait pas qu'elle avait été formée à la dure. Ils discutaient de tout, en respectant l'entraîneur, mais en donnant aussi leur opinion. On pouvait parler. Il n'y avait pas encore autour d'eux des avocats, des agents, des conseillers qui sont en réalité des membres de la famille, tous ces intermédiaires qui progressivement se sont installés entre le joueur et son coach.

Ils se considéraient tous comme des Monégasques, prêts à se battre pour la ville, pour le club, et ils incarnaient parfaitement l'esprit de Monaco : ce mélange de fierté et d'ambition, cette recherche de l'excellence, ce rejet de la médiocrité. Quand on travaillait pour la Principauté, on ressentait tous ça : il fallait la représenter au mieux, être à la hauteur, respecter des rituels, et j'ai aimé ça et j'ai aimé la façon dont, à l'époque, cet esprit influençait le jeu et les comportements des hommes sur le terrain.

Quand je pense au décalage entre la vie à Monaco et celle au village, j'ai le vertige.

Le premier match a été important. C'était un vrai test. On jouait contre Marseille, qui après Bordeaux allait devenir notre principal adversaire. Eux avaient des stars comme Papin. Nous étions plus incertains. L'équipe était bonne mais que valait-elle contre une équipe qui était tout en haut du championnat ? Est-ce que nous étions une équipe de milieu de tableau ou de haut de tableau ?

On a fait la différence en deuxième mi-temps et on a gagné. Ce match a été décisif : il a donné de l'espoir à toute l'équipe et aux joueurs vis-à-vis de moi. Au match suivant, on a affronté Montpellier et là aussi, on a fait forte impression en gagnant. Le troisième match a été beaucoup plus difficile. À domicile, on affrontait Niort. Et on a perdu. Le président Campora a été précieux. C'est l'une des rares fois où il a parlé aux joueurs. Il m'a donné un gros coup de main à un moment fragile où je n'avais pas encore toute l'emprise sur l'équipe, où j'étais encore dans la phase de test. Il leur a tenu un discours serein. Grâce à ça les joueurs n'ont pas perdu leur confiance en eux. Ni en moi. Je suis presque sûr que le succès de cette année et le titre de champion, c'est à ce moment-là qu'il s'est joué.

Au fur et à mesure j'ai pu montrer mes valeurs, mes convictions et les partager avec mes adjoints et l'équipe. J'avais des exigences fortes à l'entraînement. J'étais très vocal. Certains doivent se souvenir de mes cris et de nos disputes. Je ne tolérais pas la mauvaise passe, la mauvaise volonté, et j'étais parfois injuste, mais comme j'étais face à de fortes personnalités avec du répondant, je crois que ces colères créaient de l'allant. C'est après que je suis devenu plus tolérant.

J'avais aussi une grande fraîcheur physique : je travaillais dur, j'étais devant, et ça a marqué les joueurs. Lorsqu'on partait en stage dix jours, on s'entraînait trois fois par jour. Et puis j'ai imposé des mises au vert très codifiées avant le match. Tout devait agir et concourir à ce que les matchs se déroulent dans les meilleures conditions possible. Je voulais pour mes joueurs les meilleurs masseurs, les meilleurs ostéos. Tout comptait, y compris et surtout l'état de la pelouse ! J'imagine que les jardiniers de Monaco ont sabré le champagne quand je suis parti ! Le stade avait été construit au-dessus d'un parking. Il y avait 40 centimètres de terre posés sur du béton. Mais l'été avec les grandes chaleurs, le sel, l'air de la mer, c'était terrible pour la pelouse et pour nous : ça gênait le jeu. On tendait des filets pour la protéger du soleil et il fallait les enlever chaque nuit. Parfois les filets n'étaient pas bien mis ou pas mis du tout : les jardiniers m'entendaient !

Avec Pierrot Demut, on avait beaucoup parlé à Strasbourg de l'entraînement invisible, de l'importance de la diététique. Je voulais que mes joueurs puissent s'exprimer à fond en tenant compte de tout cela. Et je m'obligeais naturellement à incarner ces valeurs : à l'entraînement, dans les exercices, lorsque nous déjeunions, à chaque déplacement. À l'exception de la cigarette. J'avais commencé à fumer en regardant des cassettes de foot la nuit lorsque j'étais entraîneur adjoint à Cannes. À Monaco, je fumais toujours : on peut trouver des photos de moi avec une cigarette sur le banc. J'anticipe : c'est un peu grâce à une cigarette que plus tard j'ai été recruté pour entraîner Arsenal ! Mais j'ai toujours essayé de faire mien le principe qu'un leader doit avant tout incarner les valeurs qu'il porte.

Comme pour toutes les équipes, j'ai essayé de trouver la place idéale de chaque joueur, pour leur permettre de s'exprimer et d'être offensifs, de créer du beau jeu. J'avais des relais dans l'équipe, des hommes forts avec de l'expérience sur lesquels je pouvais m'appuyer comme Amoros, Ettori, Battiston et Sonor. C'est une des leçons de Monaco : si l'entraîneur a une bonne connexion avec les joueurs forts, alors ça le rend plus fort. Sinon, il nage à contre-courant. C'est grâce à ses joueurs et grâce à ses convictions que toute une équipe peut porter ces valeurs, se les approprier et avancer ensemble. Je pouvais aussi m'appuyer sur Glenn, qui n'était pas un ancien mais qui par ses résultats avait gagné le respect de tout le monde. C'est un des rares joueurs très religieux que j'ai rencontrés : il lisait la Bible pendant les déplacements. Et sur le terrain c'était un magicien. J'aimais l'acharnement aussi de Claude Puel. Il m'est arrivé de ne pas le faire jouer mais il l'a compris. Je voulais qu'il réfléchisse au joueur qu'il était. Et ça ne l'a pas desservi. Il était convaincu de sa force et c'était un lutteur incroyable, un acharné. Même à l'entraînement il voulait gagner tout le temps. Il ne lâchait jamais l'adversaire. Sonor avait, lui, une qualité de vitesse et de dribble incroyable. Je l'ai replacé en latéral. Et je lui ai réservé des séances particulières : je lui faisais visionner des matchs et j'avais mis en place des séances d'entraînement spécifique – je le faisais par exemple beaucoup centrer. J'avais mis en place ces séances et ce travail en tête à tête avec d'autres aussi. Il fallait que chaque joueur travaille les qualités dont il avait besoin à son poste.

On a très vite fait le choix d'une défense en zone alors qu'à l'époque tout le monde marquait individuellement. Déjà Battiston et Vogel le faisaient, et après l'arrivée de Roger Mendy on a généralisé cette pratique.

Et puis à l'entraînement on a insisté sur la qualité technique avant tout. Faire une passe, c'est communiquer avec l'autre, c'est être au service de l'autre. C'est essentiel. Pour que la passe soit bonne, il faut que le joueur se mette à la place de celui qui va la recevoir. C'est un acte d'intelligence et de générosité. Ce que j'appelle de l'empathie technique.

L'entraînement me permettait de développer l'expression individuelle et l'expression collective. Je connaissais les souffrances et le combat de chacun pour arriver au plus haut niveau mais j'avais une très haute exigence pour mes joueurs.

Un entraîneur doit être à la fois engagé affectivement et froid dans sa décision. Pour être crédible, il doit avoir la maîtrise totale du choix de l'équipe. Si un joueur pense qu'un adjoint ou le président peut influencer la décision de l'entraîneur, il perd toute crédibilité.

Il doit maintenir une communication réciproque permanente. Un entraîneur a tendance à surestimer l'efficacité de sa communication. Il y a donc des règles dont il faut tenir compte :

— En moyenne deux tiers des gens feraient davantage si leurs mérites étaient mieux reconnus.

— Moins de 30 % des gens appliquent les recommandations qu'on leur a données par manque de confiance, par manque de respect pour l'entraîneur ou par manque de clarté ou de recommandations pratiques. Il faut être clair dans ses recommandations pour augmenter la confiance et la performance.

— Il faut pour un point négatif énoncé, avancer trois points positifs quand on s'adresse à un joueur ou à quelqu'un qui doit progresser.

— Il ne faut pas multiplier les objectifs : un ou deux suffisent.

— Et il ne faut jamais oublier que l'endroit et le moment sont très importants.

Devenir footballeur est certainement l'ambition la plus difficile, mais c'est aussi celle où l'on risque le plus de glisser dans une zone de confort. Parce que c'est un sport collectif où les joueurs peuvent se cacher. Parce que les rémunérations sont telles que rien ne les encourage à progresser. Parce que dans leur entourage personne ne juge leur prestation avec la bonne rigueur et au contraire tout le monde les flatte. Combien de joueurs très bons stagnent alors ? Pour moi, tout l'intérêt de l'entraînement c'était d'atteindre un haut niveau technique et mental, parce que c'est ce niveau-là, longtemps négligé, qui permet de progresser.

L'entraîneur doit aussi favoriser l'expression collective en créant les conditions pour permettre à l'équipe de prendre des risques, l'y encourager. Et face à une défaite, persister, tenir bon, croire en ses convictions, surtout ne pas accuser les joueurs. Faire en sorte que les joueurs n'aient pas peur. Quand il prépare un match, le problème de l'entraîneur c'est de réussir à annihiler les points forts de l'adversaire sans empêcher l'expression de sa propre équipe. Si on exagère les qualités de l'adversaire, on augmente la peur de ses joueurs et le risque qu'ils se cachent. À Monaco, notre force, qui tenait aussi beaucoup à la personnalité des joueurs, c'est qu'ils ne se cachaient pas : ils n'avaient peur de personne.

C'est à Monaco que j'ai perçu avec tant de force que l'entraîneur crée, transmet un style à son équipe, qui transparaît dans l'attitude des joueurs et les marque. Le style monégasque était fait d'expressions positives du jeu et des qualités de l'équipe. Le but de l'entraîneur est de gagner et d'imprimer un style de jeu. Ce style c'était une équipe qui s'exprime, qui construit, qui prend des risques, qui a le respect du jeu collectif. C'est une satisfaction de voir ses anciens joueurs devenus entraîneurs partager cette vision du jeu, avec des personnalités différentes bien entendu.

Au bout de cette première année, il y eut le titre de champion. Je me souviens toujours davantage des défaites que des victoires, mais un entraîneur ne peut pas oublier le premier titre qu'il remporte. Avant, je savais que je pouvais faire gagner des matchs à une équipe, mais un titre c'est autre chose. Ça voulait dire : gagner des matchs sur toute une saison et être le premier. Ça m'a donné une vraie confiance sans me faire oublier d'où je venais.

Et ça m'a permis aussi, tout en restant très concentré sur le travail avec l'équipe, de passer plus de temps au centre de formation, de me rapprocher davantage encore de Pierre Tournier, son entraîneur, de regarder beaucoup de matchs et d'essayer de repérer des talents, des jeunes. Au centre et ailleurs. À Monaco nous formions une vraie équipe de dirigeants et d'entraîneurs, avec une grande solidarité jusque dans le recrutement.

C'est ainsi que j'ai repéré un joueur qui allait devenir exceptionnel : Georges Weah.

Claude Leroy était entraîneur au Cameroun. Il était venu me voir à Monaco. Au cours d'un déjeuner, je lui confiai une inquiétude : Mark Hateley était souvent blessé. Je cherchais un attaquant qui pourrait le suppléer. Aussitôt il me parla d'un joueur au Tonnerre de Yaoundé. À son retour au Cameroun, chaque lundi pendant quelques semaines je l'appelais et lui demandais des nouvelles de son attaquant prometteur. J'envoyai Henri Biancheri le voir jouer. Il m'appela après le match : Georges avait joué la main dans le plâtre, avec une fracture. Il n'avait pas fait grand-chose, me dit-il, mais lorsqu'il recevait le ballon, aussitôt le public était enthousiaste et c'était un bon signe. Je l'ai fait venir. Il avait 23 ans. À son premier entraînement, il a laissé une impression piteuse : il n'était pas du tout prêt physiquement. Tout le monde le trouvait nul, pataud. Il ne parlait qu'anglais et il était très timide. Ça ne pouvait être au début que lui et moi. Parce que lorsqu'un entraîneur choisit un homme et le fait débuter, s'instaure une relation très spéciale. Il faut insister contre les autres, et parfois contre le joueur lui-même. Et ce travail devient une leçon d'opiniâtreté.

Georges a travaillé énormément. Je l'emmenais courir, nous faisions des exercices en tête à tête. Les hommes grandissent à l'entraînement et avec lui je l'ai senti tout de suite : il a gagné progressivement le respect des autres. Il était à la fois fin et costaud, il a développé une finesse technique, un art que rien ne laissait deviner. Il était malin, puissant, et il a gagné match après match en assurance. Au début, il se faisait massacrer dans la surface et il ne disait rien. Il encaissait, il était impressionnant. Je lui disais : « Mais enfin, reste en bas, il y a penalty », et non, il se relevait. Il était d'une honnêteté totale, concentré seulement sur le jeu. Il a fait partie de l'équipe à la saison 1989-90. Je l'ai fait jouer à Reykjavik et il nous a qualifiés en Coupe d'Europe. Et petit à petit, avec le duo qu'il a formé avec Glenn Hoddle, il est devenu une vraie star, l'un des meilleurs joueurs au monde. Il était au début très isolé, et puis saison après saison j'ai fait venir d'autres joueurs libériens comme l'avant-centre James Debbah en 1991 et le milieu offensif Kelvin Sebwe en 1992. Ils ont formé un groupe soudé, ce qui fut précieux.

Mais en le voyant arriver en 1989 et débuter, qui aurait pu dire qu'il deviendrait Ballon d'or en 1995 ? Après nous, il a signé au PSG puis à Milan et il a terminé sa carrière de joueur à Chelsea. J'étais là par hasard à Milan au moment de sa remise du ballon d'or en 1995. Il l'a su, m'a proposé d'assister à la cérémonie. Je n'avais pas d'invitation officielle et les hommes de la sécurité ne voulaient pas me laisser entrer. Georges a dû intervenir. Il faut imaginer la tête de ces vigiles si méfiants quand je suis ressorti après la cérémonie avec le trophée du ballon d'or que Weah m'avait offert ! C'est un souvenir magnifique. Peut-être l'unique fois où un joueur a fait monter un entraîneur sur l'estrade en lui offrant son titre.

Cette année 1989, ma deuxième année à Monaco, le bras de fer avec Marseille a été plus dur encore et ce sont eux qui ont été champions de France. Très vite, Marseille est devenu pour nous ce que Manchester deviendra pour Arsenal. C'était une équipe de grand talent, avec les meilleurs joueurs français, une passion et un engagement forts. À l'image de son public. Et j'ai adoré ces affrontements, cette tension pendant le match : c'était vraiment eux ou nous ! On a gagné souvent, eux aussi, et cette année-là ils ont été champions, mais on se battait toujours pour être les premiers. 1989, c'est aussi l'année où on est entrés sur la scène européenne, en laissant une forte impression. Je me souviens d'un huitième de finale de Ligue des champions contre Bruges qu'on a gagné 6 à 1 chez nous. Souvenir superbe mais qui a été suivi par une défaite que j'ai très mal vécue et avec des conditions particulières contre le Galatasaray en quart.

L'année suivante, il fallait passer outre cette défaite, se battre toujours, renforcer encore l'équipe, la faire avancer et trouver toujours de jeunes talents. Après Weah, j'ai découvert Lilian Thuram. Il fait partie de la même catégorie de joueurs : celle des miraculés.

Il jouait à Fontainebleau. Il était milieu droit. L'entraîneur de l'équipe junior de Monaco me l'avait signalé. Le président de Fontainebleau était un ami. Je l'appelai pour qu'il me confirme le potentiel du joueur, ce qu'il fit, mais il m'indiqua qu'il venait de signer un contrat de non-sollicitation avec Nice. On joua le tout pour le tout : j'envoyai un homme lui faire signer un autre contrat de non-sollicitation en lui indiquant de le poster aussitôt pour qu'il arrive en premier à la Ligue. L'homme de Nice qui avait fait signer le premier contrat à Thuram n'a posté sa lettre que le lundi. Ainsi Lilian a pu venir à Monaco.

Il était milieu de terrain, mais je le replaçais en défenseur central parce qu'il était fort dans les duels, qu'il n'avait peur de personne, et sa puissance mentale était incroyable. C'est sur le plan technique et tactique qu'il fallait l'amener au plus haut niveau. Il n'avait pas les réflexes du défenseur mais il avait une volonté d'apprendre formidable. Je ne l'ai pas fait jouer tout de suite. Je voulais d'abord qu'il travaille sa frappe de balle. C'est pendant un de ses entraînements qu'il s'est blessé. Le médecin était inquiet. La blessure révélait un problème grave sur la rotule : le muscle n'était pas aligné sur la rotule, du coup le chemin du muscle était plus long et, quand il frappait fort, le muscle lâchait. Et il avait ce problème sur les deux jambes. Le médecin voulait l'opérer des deux genoux tout de suite mais on opta pour une seule opération : la rééducation aurait été impossible si les deux avaient été immobilisés. Après l'opération il fut absent pendant un an. Mais peu à peu, grâce à sa volonté de fer, il revient. Il s'entraîne, il joue et il ne se fait jamais opérer de l'autre genou. C'est ça le miracle. Si quelqu'un m'avait dit que cet homme allait battre le record du nombre de sélections en équipe de France et qu'il allait marquer deux buts en Coupe du monde, je l'aurais pris pour un fou !

C'est une nouvelle leçon d'opiniâtreté et de modestie. Dans le football, comme dans la vie, il ne faut jamais fermer la porte. J'avais confiance en lui, j'ai cru en son immense

soif d'apprendre. Il m'est arrivé aussi de l'enlever de l'équipe quand il faisait des erreurs
énormes, quand il était trop juste, notamment
pendant un match contre Metz. Mais il est
l'exemple même de l'homme qui a une solidité
naturelle, qui est ancré dans le combat, qui
cherche à comprendre ses erreurs.

Avec l'équipe, on continue à rivaliser avec
Marseille et le PSG dans le championnat en
1991. C'est l'année de notre deuxième titre :
la coupe de France. Et on est troisièmes du
championnat. En Coupe d'Europe, on peut
rivaliser avec les meilleures équipes et arriver
jusqu'en finale de la Coupe des coupes.

On gagne, on progresse, on hisse le club et
on le maintient surtout au plus haut niveau
avec cette génération de joueurs plus expérimentés dont j'ai déjà parlé, avec ces nouvelles recrues que sont Weah et Thuram, avec
l'arrivée d'une nouvelle génération, issue du
centre de formation de Monaco ou d'autres
clubs. Parmi les hommes du centre de formation il y a évidemment Emmanuel Petit.
Il y était un peu mis à l'écart. On se méfiait
de lui, on disait que c'était un révolté, on ne
savait pas s'il fallait le garder. J'ai voulu lui

faire confiance, comme ce jour où il était rentré la veille d'un match important à deux heures du matin. Il avait prétendu que c'était la pression, la tension du match qui l'avait empêché de dormir, qu'il avait voulu marcher, et j'ai choisi de le croire. Et de le faire jouer. Il a été très bon. Les carrières se jouent parfois à presque rien. Pendant le match il donnait tout à l'équipe. Il avait des ressources mentales exceptionnelles pour lutter, y compris contre sa propre insécurité, il avait une vraie générosité collective et un gros potentiel d'endurance. Tous les hommes qui ont joué avec lui savent à quel point il était bon. J'ai fait démarrer aussi Youri Djorkaeff, qui évoluait à Strasbourg en deuxième division. Mes copains alsaciens m'avaient dit qu'il était bon et Jeannot Petit, qui était allé le voir jouer, me l'avait confirmé. Il a été très bon avec Monaco. Il se reposait parfois un peu sur son talent, mais comme il est intelligent il savait aussi quand il fallait tout donner.

Pour progresser on disposait de nos méthodes d'entraînement, de l'intensité et de la globalité de la préparation, d'un cadre et de structures optimales. On a aussi beaucoup utilisé – et on a été les premiers à le faire – une méthode d'évaluation développée par mon ami Jean-Marc Guillou qui a été précieuse.

Top Score est un outil d'évaluation des joueurs fondé sur l'observation et la quantification des performances. On donne des points pour chaque action que le joueur fait : par exemple 10 pour une passe en avant, 5 pour une passe latérale, 2 une passe arrière, et on établit un score défensif et un score offensif qu'on additionne.

Au début Jean-Marc a eu du mal à le vendre. Nous en avions discuté jour et nuit, et j'avais suivi son élaboration, je trouvais cet outil formidable comme tout ce qui permettait une évaluation objective de la performance du joueur. À l'époque, tout reposait sur la subjectivité de l'entraîneur et ce n'était pas suffisant. Notre vie était fondée sur notre seul jugement, notre seule intuition. C'était important pour moi d'avoir l'appui de la science. Plus tard je serai aussi le premier en Angleterre à avoir signé un contrat pour évaluer les performances physiques des joueurs. À Monaco, je gardais les résultats et pouvais suivre la progression, l'évolution du joueur. Grâce à Top Score on s'est rendu compte qu'à 32 ans un milieu de terrain avait un score défensif qui baissait mais un score offensif en hausse, qu'il avait moins d'énergie pour aller à la bataille mais plus pour s'exprimer, être plus tactique. La rationalité permet de mieux comprendre le monde qui nous entoure.

Un entraîneur ne peut pas tout voir. Et parfois, parce qu'il est déçu, que son ressentiment, sa colère prennent le dessus, il n'est pas le plus objectif. Il est trop proche de son émotion. C'est pour cela que je regardais plusieurs fois les matchs. Top Score a été un instrument supplémentaire pour gagner en objectivité. Avec le président Campora et Jeannot Petit, on s'est aussi rendu compte de l'opportunité que Top Score représentait sur le marché des transferts. On savait que Monaco avait moins d'argent que le PSG et Marseille ou certains grands clubs européens. Nous avions une gestion sage au contraire de ces clubs qui étaient passés dans une autre dimension financière. Il fallait acheter des joueurs mais à nos prix et trouver des solutions moins chères. Avec les indices Top Score on pouvait acheter des joueurs pas encore repérés et courtisés. Et donner ainsi leur chance à nos jeunes joueurs du centre de formation.

L'année suivante, 1992, fut marquée par le très beau parcours de Monaco en Coupe d'Europe et la terrible défaite en finale. Nous étions arrivés là sans perdre un match. À l'entraînement, Claude Puel s'est blessé lors d'un choc. Il était précieux pour l'équipe. Il l'équilibrait sur un plan défensif. J'ai mis en place une équipe plus offensive et donc plus vulnérable face à une équipe de Brême qui était très bonne. Mais ce qui a tout changé pour cette finale et à plus long terme dans nos esprits et nos mémoires, c'est la tragédie de Furiani qui était survenue la veille. Toute la nuit, dans notre hôtel à Lisbonne où se tenait la finale, on se demandait si le match allait avoir lieu. Et comment jouer après ça ? On a mal joué, le stade était vide, les esprits ailleurs, et cette défaite associée à notre tristesse, cela reste pour chacun une cicatrice à vie. Le lendemain avec le président Campora on est allés à Bastia, à l'hôpital et à l'église. Bastia était un club qui faisait le maximum avec le minimum de moyens. L'émotion, la colère étaient là. Nous étions tous marqués, comme après le drame du Heysel en 1985. Dans ces moments, nous nous sentions loin de l'univers égoïste de la compétition. Avant d'y replonger, sans oublier les morts, les blessés, et en faisant en sorte à notre niveau, dans les clubs et dans les plus hautes instances, que le foot apprenne de ces drames et qu'ils ne puissent plus se reproduire.

En 1993, des joueurs sont partis, d'autres se sont blessés, les jeunes recrues se forment. En Ligue des champions, on fait un très beau parcours. Il y a des victoires magnifiques contre Athènes, Bucarest, le Galatasaray. Mais en demi-finale contre Milan c'est une défaite terrible. Même si Monaco n'a jamais été aussi loin, c'est un souvenir amer auquel s'ajoute l'amertume des années noires : les soupçons de corruption, de matchs truqués, d'arbitres et de joueurs achetés, mon opposition directe avec l'OM. L'affaire VA-OM a mis un coup d'arrêt à ce système qui durait depuis quelques années et empoisonnait tout le monde.

Encore aujourd'hui il m'est difficile d'en parler. Comment le faire alors que les doutes sont immenses, alors que les certitudes ne sont étayées par aucune preuve, alors que ceux qui savent et à qui j'ai conseillé de parler ne le font pas ? Comment être juste avec ça des années plus tard, alors que le football français et moi sommes sortis de cette sombre période et que ça n'a pas entamé ma foi dans le jeu, dans le sport, dans les hommes ?

À l'époque nous savions que c'était un phénomène qui ne pouvait pas durer, qui ne concernait qu'un petit nombre de personnes. Il fallait tenir bon et essayer d'avoir confiance en ses joueurs même quand le doute était permis. Et il fallait que ces soupçons surtout ne changent rien à notre manière d'entraîner et de jouer. On ne pouvait pas non plus tout le temps douter de l'adversaire. On savait que Marseille était une grande équipe avec de très bons joueurs, indépendamment de tout ce qui avait été fait ou pas pour la faire gagner.

Ce climat malsain, ces discussions entre joueurs au vestiaire, ces confidences sur l'implication de tel ou tel homme, m'ont obligé à être fataliste. On devait tous faire abstraction du doute et se concentrer sur ceux en qui on pouvait avoir confiance. Je cachais ma colère. Et j'ai essayé pendant tout ce temps de ne jamais expliquer une défaite par une tricherie présumée mais au contraire de redoubler d'efforts. Je ne pouvais pas diriger des hommes en étant suspicieux. Un entraîneur est un guide, et pour guider les hommes il faut croire en eux. Je ne voulais pas que ces années et ces pratiques terribles touchent à mon rêve, à la beauté de ce sport. Gagner à n'importe quel prix, voilà une chose à laquelle je ne penserai jamais, que je n'appliquerai jamais.

Mon départ de Monaco et mon arrivée au Japon furent une thérapie. Et je ne ressens plus les douleurs que j'avais pu éprouver. Ce climat aussi de suspicion est mort. Ces années sont derrière nous. Je suis sûr qu'elles ont laissé des traces, des convictions. Quand on a connu autant d'injustice et de frustration, on est favorable à tout ce qui peut éloigner le doute. Je militerai toujours pour plus de justice, même si c'est au prix – peu élevé selon moi – de l'émotion instantanée. J'ai lu plusieurs attaques contre la VAR (assistance vidéo à l'arbitrage) mais je pense que c'est un progrès énorme. Beaucoup prétendent que la VAR tue l'émotion, que les erreurs d'avant s'équilibraient sur une saison. C'est un argument inacceptable parce que rien ne prouve que les erreurs s'équilibrent, et si c'était le cas ça signifierait que l'erreur en soi n'est pas grave et même qu'on peut en accepter un grand nombre.

Pour moi une manière au contraire d'oublier et de réparer les dégâts de ces années terribles pour le football français, c'est justement d'œuvrer pour plus de justice et de transparence.

Ces années à Monaco furent celles de la découverte de la victoire, des Coupes d'Europe, de la rivalité extrême. J'y suis resté sept ans, le plus long bail d'un entraîneur à Monaco. Quelques mois avant, j'avais dû refuser une offre du Bayern de Munich parce que je voulais être juste avec ce club tant aimé, les joueurs, et aller au bout de mon contrat. Mais la saison avait très mal démarré, on avait beaucoup de blessés encore et le président a préféré se séparer de moi, sachant que de toute façon je ne serais pas allé plus loin après la fin de contrat. J'avais trouvé ça un peu injuste et brutal mais je savais que ça faisait partie des rigueurs du métier.

Le club aujourd'hui a bien changé, suivant le contexte, la loi économique, la volonté des dirigeants de faire des affaires et plus uniquement de construire une belle équipe. Aujourd'hui il faut trouver de la rentabilité grâce à des transferts juteux, même si ça veut dire dévaliser une équipe, ruiner le travail accompli. Tout change, va vite, part vite : les propriétaires, les entraîneurs, les joueurs, seul le supporter avec sa passion et sa fidélité reste. Cette nouvelle loi du sport, adossée à cette nouvelle loi économique, a changé Monaco et le club que j'ai entraîné. On est loin de notre « style » et de l'esprit monégasque des débuts.

En partant au Japon, je voulais cependant ne retenir que ce qui avait été gagné : le club pendant toutes ses années avait changé d'ambition, s'était installé au plus haut niveau, des joueurs merveilleux y avaient été formés et lancés, et le dernier d'entre eux n'était pas des moindres : Thierry Henry, que j'avais vu évoluer avec les moins de 17 ans, faisait ses grands débuts en 1994 : il allait devenir ce joueur exceptionnel, vif, intelligent, avec une force physique incroyable, que je retrouverais bientôt à Arsenal. Je voulais aussi apprendre à transformer en leçons ce qui avait été perdu : les matchs, les coupes, parfois un peu d'innocence et d'optimisme, vite retrouvés à Nagoya.

5.

Le Japon

Lorsque j'étais entraîneur à Monaco, je vivais
à Villefranche au-dessus de la baie. C'était idyl-
lique. J'avais des amis, j'avais rencontré Annie
que j'allais épouser quelques années plus tard et
avec qui nous aurions une fille, Léa, en 1997.
Annie Brosterhous allait souvent au stade et
c'est là que nous nous sommes rencontrés.
C'était une athlète, une ancienne basketteuse.
Elle avait été mariée à un joueur de basket
professionnel et ils avaient eu deux enfants
ensemble. Lorsqu'on s'est rencontrés, elle était
professeur d'éducation sportive et elle venait
au stade avec ses classes. L'amour a grandi
petit à petit, nous avions chacun eu une vie
avant de nous rencontrer, nous avions été en
couple, célibataires, et je tenais plus que tout à
ma liberté : j'avais appris à vivre seul, je vivais

et voulais vivre selon mes règles, et j'avais une passion qui prenait tout mon temps. Mais avec Annie à Monaco, on a appris à se connaître, à se découvrir, à partager notre passion du sport, la discipline, l'exigence que le jeu demande, on s'est revus encore et encore et lorsque j'ai décidé de partir au Japon, elle me rejoignait pendant les vacances.

J'avais travaillé sans m'arrêter depuis des années et pourtant déjà l'entraînement, la pelouse, les matchs me manquaient. Aussi beaux soient-ils, je n'étais pas prisonnier des paysages ou d'un style de vie et je me sentais prêt à partir vers un nouveau club, loin. Lorsqu'on me demande si ce fut difficile de partir, de laisser cette baie de Villefranche, je raconte cette histoire qui dit tout de mon caractère, de l'homme que j'étais alors. À Monaco, j'avais la plus belle vue mais si je perdais un match, je ne la voyais pas. Au Japon, j'avais un appartement confortable mais la fenêtre de ma chambre donnait sur... un mur et rien d'autre. Ça aussi je ne le voyais pas. Et si je gagnais un match alors le mur devenait le plus beau paysage.

C'est l'agent Milan Ćalasan, ancien joueur de l'Étoile rouge de Belgrade et du Dinamo de

Zagreb, qui m'a mis en contact avec le club de Nagoya. Je connaissais la jeune J. League qui avait été créée en 1993 et avait alors le vent en poupe : elle attirait des joueurs incroyables comme Leonardo qui jouait à Kashima Antlers ou Dunga à Júbilo Iwata. La J. League avait beaucoup d'argent, elle payait mieux les joueurs et les entraîneurs qu'en Europe, ce qui n'est plus le cas aujourd'hui. J'ai répondu que j'étais prêt à faire le voyage, que j'étais curieux de découvrir le club mais que je n'étais pas sûr du tout de pouvoir accepter leur proposition.

Je suis parti seul avec Milan. J'ai visité la ville et le club. La ville était industrielle, rude, sans attrait en apparence. J'ai pensé tout de suite : j'espère me sentir bien au club parce qu'on ne vient pas à Nagoya pour faire du tourisme ! Le club était devenu professionnel la même année que la création que la J. League. Il avait été fondé en 1939 sous le nom de Toyota Motor SC. Le club avait l'esprit de l'entreprise. Les joueurs étaient devenus pros en jouant pour l'entreprise. Et ils étaient prêts à mourir pour le club comme pour l'entreprise. Il y avait un esprit de corps très fort. Mais je savais aussi, et je l'ai constaté lors du match à domicile auquel j'ai assisté, que le club traversait de grandes difficultés. On les appelait « le fardeau de la J. League ». Il avait perdu 17 matchs d'affilée. À l'époque l'équipe ne risquait pas la relégation parce qu'il n'y avait pas de deuxième division, mais le club était dernier. Et devant moi ils ont aussi perdu. Je sentais leur engagement, mais ils étaient désorganisés et il leur manquait de bons joueurs : un milieu de terrain constructeur, un milieu créatif, un bon défenseur central, et idéalement un bon gardien de but. J'ai vu le potentiel de l'équipe, le bon esprit du club, la relation de confiance que je pouvais bâtir avec les dirigeants et l'immense travail à fournir, ce qui me plaisait.

Le lendemain, on a eu une réunion sur le contrat qu'ils me proposaient et les conditions de ma venue. Je suis reparti à Villefranche indécis, en leur ayant demandé deux, trois semaines pour réfléchir. J'avais emporté des cassettes de leurs matchs pour juger de l'état de l'équipe, estimer le mieux possible ce qui leur manquait, et comment peser au mieux et en toute liberté sur le club. J'étais prêt à tenter l'aventure.

Tout de suite avant de partir au Japon et de démarrer avec le club, j'ai cherché les joueurs qui nous manquaient. Je suis parti au Brésil, où je savais que je pourrais trouver un ou deux joueurs prometteurs avec le budget qu'ils m'avaient confié.

À São Paulo, j'ai passé des heures et des heures à regarder des matchs et des enregistrements de matchs. Un jour, un agent m'apporte une cassette et me dit : « Regarde ce défenseur central : il est pour toi. » J'ai regardé le match mais c'est le défenseur central de l'équipe adverse qui m'a plu aussitôt. Je le lui dis et il a réussi à m'organiser le lendemain un rendez-vous avec ce jeune joueur et son agent qui sont venus de Rio pour me rencontrer. Entre-temps j'avais regardé d'autres cassettes de ses matchs et j'étais convaincu. Il comprenait bien le jeu, il anticipait bien, il était grand aussi avec une bonne technique, tout ce dont nous avions besoin. Je ne l'ai pas vu jouer : je me suis décidé sur ses seules performances pendant les matchs sur cassettes que j'avais regardés. C'était Alexandre Torres. On organise un rendez-vous mais on ne me dit pas le nom de l'agent. La rencontre est prévue le lendemain à 14 heures. Ils arrivent ensemble. Je suis mal à l'aise. Je connais ce visage. Je lui demande son nom : c'était Carlos Alberto, le capitaine de la mythique équipe de 1970, le fameux arrière droit du Brésil. Il était l'agent d'Alexandre et son père. Carlos était un peu en guerre contre la fédération de foot brésilienne, c'est pour ça que son fils ne jouait pas dans l'équipe nationale. Ça m'a rassuré sur mon choix ! Et en le voyant jouer ensuite, j'ai été complètement convaincu ! Ce n'était pas seulement un très bon joueur, c'est aussi un homme avec une mentalité immaculée, avec une classe incroyable tout en étant très simple. Avec son père et lui nous sommes devenus amis et ils sont souvent venus me voir à Arsenal.

Avant de repartir du Brésil et de rejoindre ma femme et mes parents en Alsace pour les fêtes de Noël, j'ai su que la Serbie jouait un match contre le Brésil. Je suis resté pour voir si je ne trouvais pas un bon joueur dans cette équipe-là aussi et j'ai raté les fêtes de Noël ! Je n'ai pas trouvé de joueur serbe mais je savais que l'équipe de Nagoya en possédait un, exceptionnel et sous-utilisé : Dragan Stojković. Si je le faisais évoluer et si lui-même évoluait, il pouvait revenir au meilleur niveau.

Avec Alexandre Torres, j'ai trouvé deux autres joueurs prêts à tenter l'aventure avec moi, deux

Français que je connaissais bien : Gérald Passi, milieu offensif, et Franck Durix, milieu de terrain. Passi avait joué avec moi à Monaco et Durix, je l'avais vu jouer à Cannes. J'avais négocié avec la mairie de Cannes pour le transfert de Franck et fait venir le manager de Nagoya à Nice. Mais juste avant de signer, j'ai senti le dirigeant japonais hésitant. « Peut-être que le joueur n'est pas si bon », me dit-il. C'est le moment où j'aurais pu ne pas partir. Un moment que tout le monde connaît, celui où les choses même sous contrôle, même négociées patiemment, peuvent basculer. Ces dix-huit mois à Nagoya auraient pu ne jamais exister. J'en avais fait une question de principe. J'ai laissé au manager dix minutes pour réfléchir et signer le transfert du joueur ou je renonçais à mon contrat d'entraîneur. Ils ont fait venir Durix et ils ne l'ont jamais regretté.

Durix et Passi étaient deux joueurs de grand talent, j'étais sûr de ce qu'ils pouvaient apporter à l'équipe et au jeu japonais, et sûr de ce que la ligue japonaise pouvait offrir à chacun. Pour tous c'était une occasion nouvelle : après les années noires du foot français, partir au Japon était un exutoire et pour les joueurs étrangers c'était l'occasion de découvrir une ligue jeune, un jeu différent, de s'exprimer librement. Je sais que cette expérience japonaise a changé leur vie comme elle a changé la mienne.

Quelques semaines après mon installation à Nagoya avec les joueurs que j'avais choisis, Boro Primorac est arrivé pour être mon entraîneur adjoint. Je connaissais les qualités immenses du joueur. Je savais l'homme intègre et passionné qu'il était, mais c'est au Japon que j'ai découvert ses qualités d'entraîneur et que notre duo s'est formé avant de se perpétuer à Arsenal. Nous avions la même vision du football. Il avait une culture du sport collectif incroyable. Il devinait aux entraînements ce que je voulais avant même que je l'exprime. Il avait aussi une curiosité naturelle qui lui permettait de vivre partout, de s'adapter à toutes les situations, de se faire accepter par les joueurs qui l'aimaient beaucoup. Tous les deux nous étions venus sans nos compagnes qui nous rejoignaient pendant les vacances. On vivait ensemble lorsque nos femmes n'étaient pas là. On a mis en place un système qui nous permettait de n'être jamais seuls, de vivre pour le football, pour le travail. On a ainsi cohabité pendant ces dix-huit mois et ça a scellé notre amitié et notre manière de travailler. On a même développé un langage que nous seuls pouvions comprendre. Je me souviens ainsi d'une anecdote qui dit beaucoup sur nous et aussi sur mon père. Mes parents étaient venus à Arsenal et nous avions organisé un dîner avec Boro et nos familles. Pendant tout le dîner Boro et mon père étaient en grande discussion. J'ai interrogé, quelques heures plus tard, mon père sur leurs échanges. Il m'a avoué qu'il n'avait presque rien compris. Comme si Boro et moi parlions une langue que nous seuls pouvions comprendre. Et que cette langue était née au Japon !

Avant que la saison ne recommence, j'ai emmené tous les joueurs étrangers et l'effectif japonais en stage sur l'île d'Okinawa. Je ne voulais garder que 20 joueurs sur les 35 qui étaient là avec moi. Je savais qu'en réduisant l'effectif, l'équipe serait mieux organisée, plus forte. Mais j'ai été mis face à un dilemme terrible : à l'entraînement leurs efforts physiques, leurs attitudes auraient justifié que je les garde tous. Ils étaient impeccables. Ils avaient une volonté de travailler, de progresser incroyable. Je savais que j'allais sortir de l'équipe des hommes avec une volonté de fer, un sens de l'effort, un dévouement pour leur club que je n'ai rencontrés qu'au Japon. Et cet investissement, ce travail acharné je l'ai retrouvé chez tous les joueurs pendant ces dix-huit mois. Il fallait leur cacher les ballons pour que lorsque l'entraînement démarre vraiment ils ne soient pas déjà fatigués. Et ce sens de l'effort a déteint sur tous les joueurs. Dragan par exemple était jusqu'à présent inutilisé par l'équipe pendant des mois. Je savais que s'il voulait revenir au meilleur niveau il allait devoir travailler très dur. Je l'ai fait souffrir à l'entraînement, il s'est donné à fond pendant la préparation. Il s'est accroché et ça a payé : il est devenu une star au Japon jusqu'à entraîner l'équipe de Nagoya des années plus tard.

Après ces jours sur l'île et ces semaines de préparation, nous avons joué notre premier match amical contre São Paulo. À l'époque, les Brésiliens étaient champions du monde. C'était donc un match test. J'avais commencé à appliquer mes méthodes, à donner mes consignes, à transmettre mon amour du jeu avant tout : je voulais voir où en était l'équipe.

Bien que vulnérables derrière, on les a battus !
Ce match m'a conforté, rassuré : j'avais vu
tout le potentiel des joueurs. Mais lorsque le
championnat démarre c'est une catastrophe :
on perd les matchs les uns après les autres.
Au bout de huit semaines, on n'avait gagné
que 3 points et on était à la 14ᵉ place. Les
joueurs n'avaient pas confiance en eux et j'ai
vu arriver le moment où les dirigeants allaient
perdre la confiance qu'ils avaient en moi. J'ai
été convoqué et je me souviens avoir dit à
Boro : « Je crois qu'on peut faire nos valises. »
On tombe d'accord sur les résultats très décevants, je m'attends à entendre mon licencie-
ment et… c'est celui de mon traducteur qu'ils
m'annoncent. Si je n'arrivais pas à transmettre
mes valeurs et mes directives, ça devait être sa
faute ! Je me suis battu pour qu'il reste, j'ai
obtenu gain de cause et nous avons gagné ! Je
crois que les dirigeants m'ont aussi laissé un
peu de temps parce que la saison ne pouvait
pas être pire que la précédente. Ça me laissait
un répit avant d'égaler les 17 matchs perdus
d'affilée. Et puis les dirigeants voyaient à quel
point je m'impliquais dans le club et dans le
championnat. Je travaillais tout le temps et je
voulais aider la ligue à se structurer, à avancer.

Pour lutter contre notre vulnérabilité à l'arrière, j'ai changé la défense centrale. J'ai placé Go Oiwa avec Alexandre Torres et on a été beaucoup plus efficaces. Et j'ai surtout essayé de faire en sorte qu'ils retrouvent la confiance perdue. Qu'ils misent sur leurs forces, leurs talents évidents plutôt que d'avoir toujours peur de leurs adversaires. Les joueurs étaient volontaires, endurants et agiles. Ils étaient très travailleurs, avec une discipline de fer, un très grand respect pour ce que je pouvais leur apprendre. Comme dans tous les arts au Japon, de la composition d'un bouquet par les femmes à l'attitude des sumos ou des joueurs de base-ball, mes joueurs avaient une passion pour le geste beau, précis, délicat. Une recherche de l'élégance et de la grâce que j'ai toujours beaucoup aimée. Ils avaient le pied léger. Ils manquaient juste de puissance et parfois privilégiaient l'élégance et la beauté à l'efficacité. Mais ils pouvaient compenser ces défauts en étant toujours plus précis, agiles, légers, endurants. Il leur fallait être toujours plus forts dans leurs points forts. J'ai essayé d'enseigner ça à toutes mes équipes : cultiver sa force, cultiver ses qualités, les imposer, compenser ainsi les défauts, ne pas douter. L'équipe de Nagoya avait aussi une autre qualité très instinctive que j'ai retrouvée en Angleterre : ils avaient un esprit collectif très poussé, une envie naturelle d'aider l'autre. Et de gagner ensemble.

J'ai aussi appris à faire des compromis, à adapter mes valeurs et mes enseignements à leurs traditions, à leurs croyances. Et j'ai appris aussi à exprimer différemment mes exigences pour qu'elles soient reçues avec plus de force et d'efficacité encore. Là encore ce fut une école précieuse : à Monaco ou dans les autres clubs, j'étais sans doute un peu rigide, dur, autoritaire. Je me suis adapté, j'ai cherché à composer, à comprendre, et cette réflexion sur le jeu, sur le meilleur enseignement possible, sur la culture propre à chaque nation et même à chaque club, m'a permis de progresser, d'être plus précis, plus pédagogue, de mieux savoir comment transmettre ce que je voulais absolument transmettre – la façon de s'entraîner, de préparer un match, ce que tu sais être important pour gagner – et ce que je pouvais adapter ou modifier, les principes auxquels je pouvais renoncer.

J'ai dû ainsi faire des compromis. En Europe par exemple, on demande aux joueurs, et à tous les sportifs en général, de ne pas prendre de bain chaud la veille d'un match. Mais au Japon, la tradition du sauna, du fudo, des bains brûlants, est ancestrale. La première fois j'étais effrayé. Tous les joueurs dans ces bains pendant des heures. Mais je n'ai rien dit : il faut apprendre à respecter les traditions.

J'ai dû aussi faire attention à ne pas blesser mes joueurs et mes adjoints. Les Japonais accordent une très grande importance à l'honneur. Ne pas perdre la face est pour eux essentiel. Si un entraîneur dit à son joueur qu'il a été mauvais, nul, celui-ci perd la face parce qu'il part du principe qu'il donne toujours le meilleur de lui-même. J'ai dû trouver un langage adapté pour dire mon mécontentement, mes reproches sans peiner. Et si je n'y arrivais pas, je savais de toute façon que mon traducteur le ferait à ma place.

L'autre trait de caractère auquel j'ai dû m'adapter c'est leur très grande discipline et leur travail acharné. Ce sont des qualités bien sûr, mais à l'excès cela devenait aussi des défauts. Ils avaient par exemple un tel respect pour l'entraîneur qu'ils attendaient tout de moi. Ils appliquaient les consignes à la lettre mais sans oser prendre d'initiatives. Ils étaient

126

perdus au début parce qu'ils pensaient que j'allais leur dire quoi faire à chaque instant. J'ai dû leur montrer que j'étais là pour les préparer à prendre la meilleure décision mais que c'était à eux de la prendre. Il fallait qu'ils se libèrent, qu'ils s'expriment. Et on a pu ainsi développer un jeu collectif basé sur la vitesse et la mobilité, miser sur leur technique et l'intelligence de démarquage.

Je leur disais aussi qu'ils ne réussiraient qu'en s'entraînant encore et encore, mais jamais je n'aurais pensé qu'ils le feraient avec un tel acharnement. Je n'ai jamais depuis rencontré une telle volonté. C'est la seule fois où j'ai dû développer des stratégies pour cacher les ballons, leur interdire de jouer avant le début des entraînements, ménager leurs efforts.

On a dû s'adapter mutuellement, faire des compromis et alors on a commencé à gagner. Les joueurs se sont adaptés à mes méthodes, à mes valeurs, et j'ai fait aussi de nombreux pas vers eux, vers leur culture. Ce fut précieux. D'une manière générale, j'ai appris à vivre loin des miens, dans une ville qui n'était pas Tokyo, plus cosmopolite, mais bien un Japon provincial, où pour aller en voiture de mon appartement au stade je faisais quarante minutes de trajet en ne me guidant qu'en ayant appris par cœur les panneaux publicitaires et en priant pour qu'ils ne changent pas sinon j'aurais été perdu ! Ils ont changé bien sûr mais entre-temps j'avais appris le trajet par cœur. Je me souviens aussi de ma première conférence de presse dans un restaurant traditionnel : pas un siège, pas une banquette, on était assis sur les genoux. Au bout de dix minutes j'ai cru mourir. Ça me semblait bien plus dur que tous les entraînements. Je quittais la pièce toutes les cinq minutes : ils ont dû penser que j'étais malade. J'ai découvert leur respect terrible des horaires, leur rigueur, leur discipline – jamais un train en retard, jamais une soirée qui se prolonge après l'horaire indiqué sur le carton – mais c'était un choc des cultures dans le bon sens. Je découvrais une honnêteté extrême, une délicatesse, une façon de vivre qui était comme un rêve après les dernières années difficiles à Monaco.

J'ai découvert aussi un élément de la culture du Japon qui m'a été très précieux dans mon rapport au football, au jeu, à la réussite. Le sumo est le sport ancestral, avec des rites et des lois qui n'ont pas changé depuis sa naissance.

Je regardais souvent les combats et j'apprenais beaucoup. Le sumo cultive le respect comme une valeur capitale. Il y a six tournois dans l'année. Il faut en gagner deux pour devenir yokozuna. Mais après avoir gagné, le sumo passe devant une commission qui juge si son comportement a été irréprochable. Cela signifie que la valeur de la compétition est importante mais pas suffisante. Qu'il faut ajouter le comportement à la victoire. J'ai toujours retenu cela, qui m'a semblé essentiel dans le foot aussi. J'avais l'impression de pouvoir sortir de la pression du résultat à tout prix et de retrouver l'enthousiasme pur du jeu, celui que j'avais enfant.

Vient aussi du sumo et de ses rites l'impossibilité du match nul. Les matchs devaient se conclure par une victoire ou une défaite. Maintenant les règles de la J. League ont évolué, mais alors il y avait prolongation et tirs au but à chaque match en cas de nul. Cela aussi donne une idée de la passion et de l'investissement des joueurs.

Pendant ces dix-huit mois au Japon, j'ai coupé avec les miens, avec la pression de la ligue 1, avec une forme de brutalité, de violence que le football européen avait. Je ne suis pas devenu un entraîneur très différent de celui qui exerçait sa passion à Monaco ou à Nancy, mais j'ai vécu pour le jeu et uniquement pour lui. Je ne lisais pas la presse. Je ne savais rien de ce qui se disait sur moi. Je n'étais pas envahi par le récit des rancunes, des injustices. Je suis revenu à l'essence de notre métier. Coupé des commentaires permanents, des conseils, des reproches comme des éloges, je me suis senti libre. Quand je suis arrivé à Arsenal, j'ai pensé que j'arriverais à ne pas être happé tout de suite par la pression absolue, que je serais moins victime de tous ceux qui entourent cette passion. Bien sûr j'ai replongé aussitôt. Mais pendant les périodes très intenses, très dures, avoir connu cette sérénité au Japon, cette forme de paix m'a beaucoup aidé.

On est passés très vite de la 14e place à la 4e puis à la 2e ! C'était une remontée extraordinaire. Ça a soudé l'équipe et a donné confiance à chacun. Dans la deuxième partie de la saison, on a confirmé ce décollage, ces bons résultats. Et c'est ainsi qu'on a gagné la Coupe de l'Empereur en 1995. Et la Supercoupe du Japon l'année suivante. Quand je suis parti en octobre, l'équipe était en position de gagner le championnat : cela s'est joué à peu. On a fini deuxième. Je me souviens qu'il y avait une telle ferveur dans le stade, c'était merveilleux. On retrouvait tous la joie du jeu, la pureté du jeu, dans des stades pleins. Ce sont des souvenirs très forts : la ferveur totale, le silence et parfois une larme et rien d'autre sur les visages des supporters quand on perdait, et l'impression qu'à chaque match, on jouait une Coupe d'Europe par la passion qu'y mettaient les joueurs et les supporters. Il était impossible de trouver une place dans le stade.

C'était une saison formidable ternie cependant par la blessure d'un très bon joueur, un attaquant : Ogura. Il avait joué avec l'équipe des moins de 21 ans pendant la trêve et il s'était rompu les ligaments croisés du genou. J'étais à Nice alors. Il a été opéré. Très mal. Il est revenu après mais il n'a jamais retrouvé son niveau, sa puissance, son jeu. Il n'a pas eu la carrière qu'il méritait. Ce fut un souci constant : que les joueurs blessés puissent bénéficier des meilleurs soins, être opérés par les meilleurs chirurgiens, essayer de ne plus perdre un joueur d'un tel niveau sur une blessure mal soignée.

En juin 1996, David Dein, Peter Hill-Wood et Danny Fiszman sont venus me trouver à Nagoya. Nous nous connaissions depuis des années. J'avais décidé de rentrer en Europe uniquement à condition d'aller dans un grand club. Que ce soit un vrai défi. Arsenal en était un de taille. On s'est mis d'accord en une heure. Je rejoindrais Arsenal le plus vite possible mais n'abandonnerais pas Nagoya en pleine saison sans entraîneur.

Les dirigeants japonais se sont pressés lentement de me trouver un remplaçant ! Ils n'ont pas essayé de me retenir de façon classique. Ils ont usé d'arguments frappants : ils avaient décidé de faire du Japon la meilleure nation du football dans… cent ans. J'étais un rouage, une partie de leur plan ! Cela dit tout de leur rapport au temps, de leur endurance, de leur détermination. Mais de mon côté la décision était prise. Arsenal. Une décision qui allait changer ma vie. Comment aurais-je pu imaginer que j'allais commencer une aventure qui durerait vingt-deux ans ?

6.

Une vie à Arsenal

Mon attirance pour l'Angleterre, ma passion pour le football anglais viennent de loin. Je suis arrivé le 1er octobre 1996 à Arsenal et cette rencontre change ma vie. Arsenal va devenir ma passion, mon obsession et dévorer toute mon énergie. Je vis à Londres et je ne vois que le centre d'entraînement et le stade.

Il faut remonter des années en arrière pour comprendre la force de cette rencontre, l'importance de ce club, ce tournant que ma vie allait prendre, comme si je m'étais préparé à vivre à Londres, à ne vivre que pour ce club, à me donner complètement à lui, depuis des années.

J'ai 7, 8, 9 ans, je grandis dans ce petit village d'Alsace, je ne pense déjà qu'au football.

À la télévision à l'école, plus tard au café et à la maison, nous regardons les finales de coupes dans le stade mythique de Wembley. La télévision est encore en noir et blanc, le ballon se détache, blanc sur cette pelouse qui a l'air si belle, parfaitement tondue, entretenue, alors que nous fauchions encore l'herbe du terrain de façon grossière avec nos chevaux et la tondeuse derrière eux. C'est un souvenir éblouissant : la grande image du football pour moi est là. Je crois qu'enfant je me promets de fouler cette pelouse un jour, une promesse que je tais aux autres bien sûr, et à moi-même aussi sans doute : l'Angleterre, Wembley, me semblaient appartenir à une autre planète, un autre monde. Il faut imaginer ce que j'ai pu éprouver des années plus tard, deux ans après être arrivé à Arsenal, lorsque j'ai guidé pour la première fois à Wembley mon équipe hors des vestiaires vers le terrain. Au fond de moi je n'en revenais pas. Soudain je rencontrais mon rêve et l'idée que je me faisais du football : l'intensité de l'événement, la ferveur des supporters, la perfection de la pelouse, la belle tension des joueurs, le ballon blanc, tout s'incarnait de façon magnifique. J'ai joué dans ce stade mythique 8 finales de Coupe d'Angleterre, j'en ai gagné 7, et 9 finales de

Supercoupes et nous en avons gagné 8. Chaque fois c'était une émotion intense, un émerveillement, celui de l'enfant qui regardait l'écran noir et blanc, bouleversé par ce qu'il voyait.

Mon séjour à Cambridge à 29 ans a aussi été déterminant. Je ne serais jamais devenu entraîneur d'Arsenal sans ces trois semaines, seul dans la ville anglaise. Rien ne m'obligeait à occuper mes vacances de cette manière mais je voulais absolument parler anglais, je sentais l'importance que ça allait avoir et surtout je n'imaginais pas une vie sans parler plusieurs langues. Je suis parti et cette décision a changé ma vie. Une amie m'avait juste dit : « Va à Cambridge, c'est là que tu pourras étudier le mieux. » J'ai pris l'avion puis le train sans l'adresse d'un hébergement ou d'une école. Arrivé à Cambridge, j'ai fait du porte-à-porte pour trouver une chambre chez l'habitant. J'ai eu de la chance : une dame m'a accueilli et conseillé une école où je pourrais m'inscrire et passer des tests facilement le lendemain. Ils m'ont mis dans un groupe, celui du niveau moyen, j'étais entouré d'adolescents, mais surtout mon professeur était ma logeuse ! Ma bonne fée pendant tout mon séjour. Pendant ces semaines j'ai travaillé dur.

Je voulais être à l'aise, avoir le meilleur niveau possible. Je voulais que ma professeure-logeuse soit fière de son élève !

À mon retour à Strasbourg, j'avais tellement travaillé mon anglais que je ne voulais pas le perdre : je lisais des livres en anglais et je notais tous les mots que je ne connaissais pas pour les chercher dans mon dictionnaire. J'ai fait ça pendant des années. J'ai lu des romans mais aussi beaucoup de livres sur la recherche, les sciences et le management. Ça m'a été très utile. Aujourd'hui ma fille, qui a grandi en Angleterre et fréquenté l'école publique jusqu'à ses 11 ans puis le lycée français, étudie à Cambridge. Elle termine un doctorat en neurosciences. Je vais souvent lui rendre visite.

J'ai cherché la maison de ma logeuse, celle qui m'avait si bien accueilli la première fois et qui m'a donné mes vraies leçons d'anglais, mais c'est trop flou dans ma mémoire et je ne l'ai pas encore retrouvée. Elle aussi a changé ma vie.

C'est David Dein qui me fait venir à Arsenal. Son père était tailleur et lui avait fait fortune dans le commerce du sucre et du café. Lorsque je le rencontre en 1989, il est vice-président du club et principal actionnaire du

club cher à son cœur. Il avait été vice-président
de la fédération et parmi les cinq personnes qui
avaient créé la Premier League. Quelques jours
plus tôt j'étais en Turquie, profitant de la trêve
de Noël en France et à Monaco pour voir un
match de Galatasaray, contre qui nous devions
bientôt jouer. Le match avait lieu à Konya
le 31 décembre et le soir même je dormais à
Ankara. Au lieu de rentrer à Nice je décidai
d'aller en Angleterre pour voir un match
pendant la trêve de Noël. J'appelai l'agent
de Glenn Hoddle et je lui demandai de me
trouver un match intéressant. Le lendemain,
1er janvier, je décidai de prendre un vol pour
Londres. C'est ainsi que j'ai vu mon premier
match à Highbury : Arsenal-Norwich. Arsenal
l'emporte mais ce ne sont pas les buts que je
garde le plus en mémoire ce soir-là. À l'époque,
Arsenal est un club très traditionnel. D'ailleurs
les femmes et les invités étaient regroupés dans
une pièce différente des directeurs. Je fumais.
À la mi-temps, une amie de la femme de David
Dein m'offre du feu. Nous discutons de façon
informelle. Et c'est ainsi, grâce à une cigarette,
à mon anglais convenable appris à Cambridge,
à cette conversation, que je me retrouve le soir
même invité chez David Dein. Il m'avait dit :

« On va discuter football. » Je me souviens surtout d'une soirée très conviviale, avec des rires et des jeux, des sortes de charades. Et que je ne m'étais pas trop mal débrouillé ! L'amitié, la complicité, l'entente entre David et moi datent de ce premier dîner, et de tous les moments où nous nous sommes revus. Il avait un bateau au port d'Antibes qui s'appelait *Take it easy* (il plaisantait souvent en prétendant qu'il aurait dû s'appeler le *Take it please* à cause de tout l'argent qu'il lui coûtait) et chaque fois qu'il venait sur la côte d'Azur, nous passions de très bons moments ensemble. Il venait au stade Louis-II voir les matchs. Il avait une formidable curiosité et c'était un passionné de football comme moi. Il se rendait compte que nous jouions à Monaco un football très différent de celui d'Arsenal et ça l'intriguait. Il se demandait si ce football était exportable en Angleterre. On pouvait parler pendant des heures du jeu, d'un match, des évolutions du sport et de notre métier. À l'époque le football anglais ne touchait aucun argent de la télévision et les bons joueurs partaient à l'étranger, comme Glenn Hoddle à Monaco. C'était un football direct, sans fioriture, avec un engagement total, un football local avec des équipes constituées presque exclusivement de joueurs anglais. C'était un football aussi codifié, ritualisé. Les clubs appartenaient à des personnalités anglaises fortunées, à des familles qui se les transmettaient de père en fils et qui étaient très respectueuses des traditions et d'un jeu où le beau et le fair-play étaient très présents. Je découvrais grâce à David Dein et à Arsenal des rites, des codes, des supporters fiévreux, pas un seul entraîneur étranger, des clubs et des joueurs avec peu d'argent encore.

En 1994, je pars après sept ans passés à Monaco. Arsenal venait de se séparer de son entraîneur, George Graham – qui avait tant façonné le club et construit l'équipe – licencié pour des motifs que j'ignorais. David Dein m'avait demandé de rencontrer Peter Hill-Wood, président du club depuis 1982, après son père Denis et son grand-père Samuel. Nous avons dîné tous ensemble avant que je ne m'envole pour Nagoya. Je crois qu'ils tâtaient le terrain mais qu'ils n'étaient pas encore prêts à prendre un étranger. C'est Bruce Rioch qui succède à Graham. Mais la succession se passe mal, le club peine un peu en milieu de tableau et en juin 1996, Peter Hill-Wood, David Dein et Danny Fiszman, directeur du club et l'un des plus gros actionnaires, viennent me voir au Japon. Cette fois-ci, ils m'exposent leur désir de me recruter fermement et en une heure nous nous mettons d'accord sur tout. Cette heure allait marquer mon destin.

Est-ce que j'avais conscience de l'immense défi que cela représentait pour moi ? Que ce club allait tout me donner et que je lui donnerais aussi mon temps, toute mon énergie, toute ma passion pendant vingt-deux ans, qu'Arsenal serait ma maison en somme ? Que toutes les années passées de Strasbourg à Nagoya m'avaient préparé d'une certaine manière à ce challenge, que là mieux et plus que nulle part ailleurs j'allais pouvoir appliquer ma vision du management et surtout continuer à développer ce club ?

Une nouvelle saison avait commencé à Arsenal mais j'étais encore au Japon pour honorer mon engagement de ne pas les laisser sans entraîneur. En mon absence, c'est Pat Rice, mon futur adjoint, un ancien joueur d'Arsenal, qui les entraîne. J'essayais de faire depuis le Japon le recrutement des joueurs.

J'avais ainsi fait venir Rémi Garde et Patrick Vieira. Ils n'étaient pas titulaires mais ils avaient commencé la saison sans moi. Je les appelais toutes les semaines, ainsi que Pat et David, je recevais les cassettes de tous les matchs. Avec le décalage horaire, ça me donnait l'impression de travailler en continu, comme une bonne préparation au travail nuit et jour que j'allais accomplir à Arsenal.

J'étais au Japon mais aussi déjà concentré sur ce que j'allais faire en Angleterre et je prenais conscience de tout ce que j'allais devoir faire, prouver, imposer, montrer. Les dirigeants étaient prêts à me laisser transformer le club. Ils savaient que j'avais des idées différentes et ils étaient les mieux placés pour savoir que l'arrivée d'un parfait inconnu, étranger, venu du Japon, allait provoquer des remous, du scepticisme et beaucoup d'oppositions. D'une certaine manière le courage était davantage de leur côté que du mien. Moi je savais que l'accueil serait froid, mais que c'était ainsi partout pour tout nouvel entraîneur et que cela faisait partie de son travail de s'imposer progressivement par ses résultats et ses valeurs. Le scepticisme je le combattrais par ma force de conviction, mes idées, ma capacité à m'adapter à l'équipe, à en tirer le meilleur. Mais l'hostilité a été plus grande que je ne pouvais l'imaginer et les dirigeants ont dû y faire face, comme moi.

En quittant le Japon pour Arsenal je changeais ainsi de continent, de monde, de club, de culture, je m'apprêtais à vivre les premiers temps à l'hôtel, à faire face à des joueurs magnifiques mais sceptiques, à affronter des rumeurs immondes, à traverser un champ de mines. Aujourd'hui je sais que tout cela en valait la peine, et que ma force a été ma passion et une forme d'inconscience heureuse qui me permettait de me concentrer sur le match à venir, les joueurs et l'intérêt de ce que je considérais déjà être mon club.

Depuis le Japon et dès que je me suis entraîné avec eux au club, j'ai eu du respect pour les joueurs. C'était une équipe d'hommes, qui avaient de l'expérience, qui avaient été formés pour la plupart par George Graham. Ils étaient intelligents, durs à la tâche et ils étaient prêts à s'engager totalement. C'était une génération qui n'avait pas gagné beaucoup d'argent, qui faisait sa carrière dans un seul club et qui, une fois le contrat signé, donnait tout à son équipe.

C'étaient des fils de familles modestes, endurants, fiers, avec une grande culture et un grand respect des traditions du club. Ils étaient très soudés, ils faisaient leurs sorties entre eux et pas toujours selon les règles de l'entraînement invisible mais je voyais bien qu'ils étaient très solidaires entre eux. Comme David Seaman, Tony Adams, Ray Parlour, Paul Merson, Martin Keown, Nigel Winterburn, Steve Bould, Lee Dixon...

Je découvrais aussi l'identité très forte et l'histoire marquante du club qui se transmettait de génération en génération.

La première équipe du club est née en 1886, composée d'ouvriers de la manufacture d'armes Royal Arsenal, située à Woolwich. Le club est racheté en 1910 par les hommes d'affaires Henry Norris et William Hall et il déménage en 1913 à Highbury au nord de Londres, dans l'enceinte mythique, chargée de cette histoire et de ceux qui y ont imprimé leur marque, notamment Herbert Chapman, l'entraîneur qui a apporté à Arsenal son premier titre de champion en 1931. C'est en allant à Arsenal que j'ai découvert l'histoire de cet homme, ses techniques innovantes, la façon

143

dont il utilisait la physiothérapie, ses réflexions sur l'encadrement technique, les maillots avec des numéros et des crampons plus modernes. Il a même donné le nom d'Arsenal à une station de métro. J'aimais son engagement. Ceux qui travaillaient au club connaissaient sa vie et son histoire, y compris son départ précipité sur une mésentente financière.

Je comprenais petit à petit l'identité d'Arsenal et qui étaient ses supporters : c'était un club avec un grand respect de la tradition, où l'important était de se comporter avec classe et qui était aussi ouvert aux innovations. Le club était ancré dans la vie sociale du quartier avec une fondation très populaire, active. Les supporters épousaient ces valeurs. Cet attachement viscéral et dès l'enfance pour un club, une équipe, je ne l'ai jamais retrouvé ailleurs avec une telle ferveur. Pour chaque supporter, le premier match à Highbury était comme un baptême. Les supporters pouvaient se tatouer deux choses : le nom de leur club et le nom de leurs enfants. Les couples dont l'un supportait Arsenal et l'autre Tottenham ne se parlaient pas pendant le week-end, et je garde aussi en mémoire l'histoire de ce supporter qui un jour empêcha dans le métro londonien un homme de se tuer, au péril de sa vie, se comportant en héros. Aussitôt l'homme sauvé, il avait sauté dans le premier métro, parce que le match avait commencé et qu'il ne voulait pas être en retard. Je trouve que ça dit tout de l'âme d'Arsenal.

Le premier match d'Arsenal auquel j'ai assisté, c'était au stade du Borussia Park, le 24 septembre 1996. Arsenal affrontait Mönchengladbach. J'étais là, en observateur parce que je n'étais pas encore officiellement en fonction. J'accompagnais David Dein et nous avions vu le match dans les tribunes. À la mi-temps, l'équipe est menée et je descends dans les vestiaires. Pat Rice me demande de parler aux joueurs et je décide de modifier la défense et de sortir Tony Adams, le capitaine de l'équipe. Celle-ci est surprise et peut-être déstabilisée. Et nous perdons le match. J'aurais pu rêver mieux comme premier contact mais j'étais stimulé par l'enjeu et le défi à relever collectivement.

Arsenal avait la réputation d'être dans la ligue anglaise le « boring Arsenal », d'avoir un jeu lent, seul le résultat importait : aller au but, marquer et défendre tout le reste du temps. Même si je dois dire que cette réputation était exagérée, je voulais changer le style de jeu, proposer un jeu de construction en m'appuyant sur une plus grande solidité technique.

Arsenal à mon arrivée était en milieu de tableau. Les équipes qui dominaient la ligue étaient Manchester, Newcastle, Liverpool. J'avais visionné beaucoup de matchs de l'équipe au Japon, je pouvais m'appuyer sur ce match vu sur place. Je pouvais mesurer la qualité de l'équipe et voir comment l'organiser, comment hausser son niveau. J'avais aussi compris que l'équipe était très soudée et qu'il ne fallait pas qu'elle se soude contre moi.

Quelques semaines plus tard, je ne suis plus dans les tribunes, c'est mon premier vrai match comme entraîneur, le 12 octobre 1996 : nous jouons contre Blackburn Rovers. Ian Wright marque deux fois. C'est une victoire. En allant au stade, les joueurs chantaient : « Nous voulons nos Mars ! » J'avais commencé à travailler et à appliquer mes idées, notamment en matière de diététique. Pour les joueurs c'était un vrai changement, à la fois de méthodes d'entraînement mais aussi autour de séances plus régulières, de

146

repas en commun, d'éducation diététique et de préparation musculaire à l'effort.

Je savais que je devais avancer par petites touches en mettant progressivement la main sur l'équipe, en faisant preuve de psychologie, de diplomatie, sans renoncer à mes convictions. Je savais aussi qu'on m'attendait au tournant et que comme la presse qui avait titré « Arsène Who ? », ils étaient en droit de se demander ce que j'allais pouvoir leur apporter, ce que je valais. Cette première victoire était essentielle à mes yeux. Elle me permettait d'asseoir d'entrée ma vision et de renforcer ma légitimité d'entraîneur.

C'était une équipe de trentenaires, durs au mal mais il fallait adapter l'entraînement car ils avaient déjà beaucoup donné. C'étaient des compétiteurs et des gagneurs. Lorsqu'on leur faisait des radios des genoux, des chevilles, certaines disaient que ces joueurs auraient dû arrêter de jouer depuis longtemps. Mais eux voulaient continuer passionnément et il fallait s'appuyer sur leur passion de la compétition pour les faire progresser. Dans leur jeu ils exprimaient leurs convictions, leurs ressentis, ils luttaient contre leurs manques. Ils aimaient plus la compétition que l'entraînement. J'ai essayé de rendre attractives les séances d'entraînement et de leur montrer qu'en s'y investissant, cela pouvait prolonger leur carrière. Pour ça il fallait leur faire renoncer à leurs mauvaises habitudes. L'époque allait dans mon sens. Il y avait dans le club une grande culture de l'alcool mais l'Angleterre des années 1990, 2000 était prête à changer. Un mouvement d'hygiénisation de la société avait été enclenché et dans le club tout le monde était conscient de la nécessité de changements capitaux.

Tony Adams était un leader mythique du club. Il était en période de sevrage et demandait de l'attention. Il avait de l'autorité sur l'équipe et même sur les adversaires. Il avait une compréhension du jeu défensif incroyable, il était toujours en avance, intelligent, combatif, avec un mélange d'assurance et de doutes énormes. Il était aussi entouré de défenseurs hors-pair comme Dixon, Winterburn, Bould, Keown. Tony était entamé physiquement, meurtri, et n'aimait pas s'entraîner. Je ne savais pas s'il allait pouvoir jouer comme un acteur qui ne répète pas sa pièce, mais le jour du match, il était là. Je l'envoyais souvent dans le midi de la France chez Tiburce Darou pour des cures et des séances de préparation physique.

Il y avait aussi David Seaman, David l'atlas, classe, adoré par ses partenaires, le gardien de but mythique et son mentor Bob Wilson. David était lourd de constitution mais il avait une maîtrise parfaite de son corps.

Dennis Bergkamp, idole absolue du club, perfectionniste que je n'ai jamais vu négliger un geste technique, était arrivé un an avant moi, acheté par le club à l'Inter de Milan. Il avait eu une première saison difficile mais je savais que c'était un super joueur, qu'il fallait lui donner le ballon, qu'il avait besoin de contrôler le jeu pour s'exprimer pleinement. Dennis, très grand joueur, voyait vite, décidait vite et exécutait avec perfection et élégance.

Il y avait Ian Wright, le buteur inouï et parfois incontrôlable pour son entourage mais aussi et surtout pour ses adversaires.

À ces joueurs du club, dont j'avais compris l'intelligence, les qualités profondes, j'avais, depuis le Japon, voulu associer de nouveaux joueurs, des jeunes recrues, capables de s'intégrer à ce groupe et de répondre à l'intensité demandée par la Premier League. Dans un premier temps j'ai fait venir Patrick Vieira et Rémi Garde. Et l'année d'après Emmanuel Petit et Gilles Grimandi.

Nous faisons venir Patrick Vieira de l'AC Milan alors qu'il s'apprêtait à signer avec l'Ajax d'Amsterdam. Je réussis à le persuader ainsi que ses agents Marc Roger et Jean-François Larios. Il m'avait fait une impression énorme lorsqu'il était jeune joueur à Cannes et moi entraîneur à Monaco. Milan l'a laissé partir. Et il nous a fait confiance. Dès le premier match, alors que les Anglais ne le connaissaient pas, il montre tout son talent. Personne ne l'a contesté et il m'a donné du crédit, de l'emprise sur l'équipe pour travailler dans le sens que je voulais. Avec Emmanuel Petit, il a formé un tandem qui restera dans toutes les mémoires des supporters d'Arsenal. Et d'une certaine manière Arsenal les a révélés et a changé leur vie aussi puisqu'ils ont été pris en équipe de France, placés dans la même configuration, et qu'ils ont montré au monde la mesure de leur immense talent. Emmanuel Petit a ainsi été le grand joueur de 1998 à la Coupe du Monde.

Je connaissais Rémi Garde. Il avait joué à Lyon, à Strasbourg, et je le trouvais excellent. Il était souvent blessé et hélas il a aussi été blessé à Arsenal, mais il allait vite, il était bon dans les duels et lui aussi a eu une excellente influence sur l'équipe.

Emmanuel Petit et Tony Adams se sont très bien entendus. Ils avaient une sensibilité commune et un goût de la compétition, une maîtrise remarquables. Ils savaient se dépasser.

Tout au long de cette aventure, des joueurs vont rejoindre le club et marquer son histoire.

Parmi eux, il y a notamment :

Freddy Ljungberg, perforeur de défense, incroyable gagneur.

Gilberto Silva, la force tranquille, la classe et l'humilité au service de l'équipe.

Andreï Arshavin, le dribleur créatif et génial russe.

Aaron Ramsey, arrivé à 17 ans et stoppé par une grave blessure à 18 ans, mais qui fera néanmoins une grande carrière à Arsenal par son énergie et sa créativité.

William Gallas, défenseur intraitable et buteur dans les moments décisifs.

Bacary Sagna, défenseur au courage indomptable et qui deviendra un joueur clé.

Thomas Vermaelen, défenseur central venu de l'Ajax, transféré plus tard à Barcelone, capitaine de l'équipe au comportement irréprochable.

Serge Gnabry, attaquant complet, promis à un grand avenir, qui dans des circonstances pas très *fair* a finalement signé pour Munich.

Theo Walcott, une bombe explosive avec un sens intelligent de l'appel de balle, dont l'évolution sera malheureusement entamée par de nombreuses blessures.

Per Mertesacker, âme de l'équipe et du vestiaire, qui progressa sans arrêt.

Lukasz Fabianski, gardien hyper doué dont la sensibilité fut parfois un handicap.

Gaël Clichy, recruté à l'AS Cannes, arrière gauche. Son attitude irréprochable lui permit d'avoir une progression constante.

Kieran Gibbs, entièrement formé au club, arrière gauche très doué, rapide, avec une grande technique, mais aussi un grand manque de confiance.

Francis Coquelin, milieu défensif, bon récupérateur de ballons, qui s'améliora beaucoup techniquement tout au long de sa carrière.

Wojciech Szczesny, jeune gardien formé au club, grand talent qui arrive à maturité aujourd'hui.

Pascal Cygan, venu de Lille, défenseur central gaucher, qui fit une bonne carrière au club.

Philippe Senderos, défenseur central Suisse, à l'attitude exemplaire qui fit partie de la fameuse épopée de 2006 en Ligue des Champions.

Nwanko Kanu, le génie nigérian, créatif, technique, courageux, que tout le monde admirait.

Dès que j'ai commencé à travailler à Arsenal sans relâche, je pensais à ce qu'on pouvait améliorer. C'était une vie de moine dédiée au club et ça occupait tout en permanence. C'était le début de vingt-deux ans de passion et de détermination.

Depuis mes débuts en Alsace, ma formation avait été une succession d'enseignements, d'apprentissage, de leçons. Supporter le moins mal possible les défaites, gagner un match, choisir et former des joueurs, une équipe, lui donner un style propre, gagner un titre, quitter un club… cela je l'avais fait au fur et à mesure.

Derrière cette passion et ces immenses plaisirs, les efforts à fournir sont permanents et s'accompagnent de moments de souffrance et de solitude parfois difficiles à encaisser.

153

Mais tout art comporte sa part de souffrances et exige le goût de l'effort. Aujourd'hui on accorde une importance immense aux victoires, aux défaites, aux petites phrases. On néglige un peu l'immense quantité de travail qu'il faut produire pour chaque match. Pour Arsenal j'étais prêt à payer le prix fort et les années ont montré que ce fut le cas. Je voulais me placer sous les ordres du football. En arrivant en Angleterre, à 47 ans, j'avais déjà une certaine maturité, de la confiance face aux difficultés. Je me sentais plus mesuré, plus pondéré. Je savais que j'avais des décisions difficiles à prendre, de grands défis, des épreuves à affronter mais j'étais solide, encore plus que je ne pouvais l'être à Monaco ou au Japon. J'étais prêt à tout affronter.

Bien sûr j'ai compris les réserves que ma nomination à la tête du club pouvait susciter. Les gros titres des journaux « Arsène Who ? » et ces questions sur les lèvres des joueurs et des supporters me semblaient légitimes. Je pouvais y répondre par la force de mon travail, de mon engagement et de mes convictions. Mais face à l'hostilité pure, les mensonges, les allégations immondes, la diffamation, le harcèlement, je ne pouvais rien faire si ce n'est laisser passer la tempête.

Tout était venu d'un journaliste de radio, supporter de Tottenham, d'après ce que l'on m'a rapporté. On m'aurait vu dans tous les endroits mal famés, dans des situations rocambolesques, et les journaux avaient des photos accusatrices. Tombant des nues, je leur ai demandé de surtout les montrer.

Je vivais encore à l'hôtel seul, Annie ma compagne était restée dans le sud de la France. J'avais, dans la salle du petit déjeuner, beaucoup d'espace autour de moi et des tables aux regards méfiants. Comme toujours dans ces cas-là, il y a eu des journalistes objectifs et d'autres qui ne méritent pas qu'on les mentionne. Certains ont été jusqu'à interroger ma famille, mes anciens coéquipiers, des joueurs des clubs où j'avais été, ils sont allés jusqu'à Roquebrune-Cap-Martin attendre que ma compagne s'absente pour interroger son fils qui avait alors 12 ans et lui demander comment je me comportais avec lui, quel genre de beau-père j'étais. C'était intolérable, je me demandais si le monde était devenu fou, comment de tels mensonges pouvaient être écrits sans recherche de preuves, de vérité, juste pour salir un homme au mépris des conséquences possibles. J'étais très en colère. Mais c'est parfois le sort des hommes publics.

Ces journalistes ne se sont pas arrêtés là : ils ont ensuite publié, profitant d'un de mes voyages en Alsace, l'information que j'avais démissionné, que j'étais rentré chez moi. Lorsque j'ai regagné Londres, le taxi qui m'amenait au club a paru surpris de mon retour. Puis, au club, l'attaché de presse m'a accueilli, embarrassé : « Pourquoi ne pas m'avoir parlé de votre démission ? » J'étais estomaqué. J'ai improvisé une conférence de presse sur le perron d'Highbury. Je leur ai dit que je n'avais pas peur, que j'étais prêt à affronter et à réfuter mensonge après mensonge, que seul l'intérêt du club m'importait.

Il a fallu attendre quelque temps encore, de nouveaux mensonges ont été publiés. Après un match, face à d'autres journalistes et de nouvelles questions, j'ai dû hausser le ton, j'ai répété ma foi dans le football et ma conviction que l'Angleterre était autre chose qu'un pays capable d'accepter un tel lynchage, que les Anglais étaient pour moi des gens honnêtes et respectueux, que je n'avais rien à cacher. Et soudain tout s'est arrêté, de façon aussi inattendue et brutale que cela avait commencé.

Je le répète : à l'intérieur du club et avec mes joueurs je me sentais chez moi. J'avais l'entière confiance de David Dein et les joueurs ne se permettaient pas de dire un mot de ces affaires. Mais à l'extérieur du club je ne pouvais pas imaginer un accueil plus dur. J'ai ignoré ces calomnies, ces insultes. Après, cette période terrible m'a servi de leçon, renforçant ma détermination et mon énergie dans le travail. J'avais tenu bon malgré la violence du moment. J'ai fait en sorte que cette épreuve ne me déstabilise pas, qu'elle ne déstabilise pas les joueurs, le club, qu'elle n'atteigne pas mon optimisme, mes valeurs, et j'y suis parvenu. J'ai essayé aussi de comprendre : est-ce que le fait d'être un étranger, un inconnu, d'avoir ce poste convoité, d'être jalousé pouvaient expliquer un tel déchaînement ? Est-ce que le monde du foot porte une telle violence en lui ? Est-ce que la faute revient à ceux qui n'appartiennent pas à ce monde justement et qui ne font que le commenter ? Je n'ai pas la réponse. J'étais seul pendant ces semaines-là,

157

très longues, je vivais seul, Boro n'était pas encore arrivé du Japon, Annie ne s'était pas encore installée avec moi, ma famille, mes amis étaient en France et ne se doutaient pas de ce que j'endurais. Je ne pouvais compter que sur moi et cela aussi a été une leçon.

Lorsque les calomnies des journalistes se sont arrêtées, j'ai retrouvé une forme de sérénité mais j'ai continué à me tenir sur mes gardes. Une autre leçon précieuse que j'ai essayé de transmettre à tous : la méfiance doit être constante dans nos métiers. Quand on parle à ses joueurs, aux journalistes, aux supporters, il faut faire attention à ses mots et à ses gestes. Et c'est ainsi que j'ai abordé les conférences de presse. Je savais à quoi m'attendre puisque j'avais traversé le pire. L'art de la conférence de presse, c'est de répondre en restant prudent. Il faut veiller avant tout à protéger le club et l'unité du groupe. Et la presse, que les entraîneurs côtoient beaucoup et de plus en plus dans le monde du football (lorsque j'ai quitté Arsenal il y avait ainsi six ou sept conférences de presse par semaine, sans parler des interviews et de la télévision appartenant au club), m'a reconnu une qualité : je répondais avec honnêteté, avec le plus d'authenticité, sans jamais me cacher.

Quand nous parlons à la presse, nous parlons aussi à nos joueurs, nos supporters, nos dirigeants.

Cette histoire m'a aussi permis de protéger mes joueurs des assauts de la presse et dans des situations difficiles. Certains se retrouvaient parfois en une pour des histoires d'alcool, de filles.

Je sais qu'il faut faire face avec dignité, toujours rester juste dans ses réactions et ne penser qu'aux objectifs à atteindre. Les états d'âme doivent passer au second plan et si on garde de la rancune, on perd sa lucidité et de l'énergie.

Le club a été solide et moi aussi.

Nous avions à relever de grands défis : transformer l'équipe, souder les anciens et les nouveaux joueurs, hausser le niveau, gagner en technicité. Et transformer le club. J'étais soutenu par David Dein, avec qui la complicité était évidente, et par Pat Rice, mon adjoint. C'était un homme dédié à son club et qui le connaissait parfaitement. Nous assistions aux entraînements le matin et l'après-midi, les premières semaines, il m'accompagnait au bureau, à une heure de voiture. Ma vie à Londres s'organisait entre le centre d'entraînement, le bureau et l'hôtel, puis une petite maison à taille humaine, avec un jardin typiquement anglais, une maison discrète où je me sens infiniment bien. Ce sont les trois pôles de ma vie à Londres et pendant des années la ville reste une étrangère pour moi. Comme si je ne vivais pas à Londres mais à Arsenal uniquement.

La première année, le grand défi pour le club est de trouver un autre centre d'entraînement. Les terrains sur lesquels on s'entraînait appartenaient à l'université ! Le club ne les possédait pas, il fallait demander des autorisations pour tout. Je trouvais que nos structures avaient vingt ans de retard, ça n'allait pas avec le grand club que nous voulions être. Pendant un an, tous les dimanches avec David nous avons cherché un lieu pour construire ce centre d'entraînement et finalement c'est Ken Friar, le dirigeant historique du club qui a trouvé le terrain. Tous les jours j'étais sur le chantier, jusqu'à l'ouverture en 1999. On a construit dix terrains, on a bâti un endroit moderne, fonctionnel, harmonieux, car nous voulions offrir le meilleur à l'équipe. En ce sens, le moindre détail avait de l'importance pour moi.

Avec Pat Rice, je pouvais compter sur Boro, qui avait quitté le Japon et était venu me retrouver comme adjoint à Arsenal. Il connaissait ma façon de travailler. Il s'entendait avec tout le monde. Il était modeste, avait une connaissance exceptionnelle du jeu, des joueurs, et il se mettait au service du collectif. Un homme sans faille sur qui je pouvais compter, toujours là dans les moments difficiles et il y en a eu. On n'habitait pas ensemble, contrairement au Japon. Sa femme et lui avaient une maison mais j'étais toujours le bienvenu chez lui comme il l'était chez moi. Il venait ainsi toutes les semaines pour voir les matchs et quand j'ai quitté Arsenal et que je me sentais seul et triste, j'allais déjeuner chez eux presque chaque jour. Une amitié à vie.

Boro, Pat Rice et moi mettons en place une équipe avec un esprit de conquête, avec des ambitions, une rigueur, un style de jeu qu'on voudrait reconnaissable entre tous. Autour de l'équipe, il y a des intervenants extérieurs, des spécialistes que je considère comme les meilleurs dans leur domaine. Cela me permet de garder une structure légère. J'ai fait venir un médecin, Yann Rougier, spécialiste des hôpitaux de Paris, passionné de neurosciences, de nutrition et de psycho, neuro, immunologie. Il est membre fondateur de l'IN2A, l'Institut de neuronutrition et de neurosciences appliquées. Je le connaissais depuis Monaco. J'étais très intéressé par tout ce qui augmentait la performance, en dehors de l'entraînement classique. Je trouvais ainsi qu'on maîtrisait assez bien ce qui se passait sur le terrain mais beaucoup moins en dehors, et que là il y avait une marge de progression extraordinaire. Nous sommes de tempéraments très différents mais tous les deux passionnés par la science, les expériences, et nous avons collaboré efficacement de longues années. Il expliquait aux joueurs comment manger, quoi manger, comment mâcher. Je l'avais fait venir au Japon aussi. Dans le domaine de la nutrition, Yann était l'un des pionniers et le meilleur pour s'adresser aux joueurs. Au club il a ainsi commencé à faire les menus. Une blague circule : j'aurais fait manger des brocolis aux joueurs matin, midi et soir. Ce n'est pas vrai, d'autant que je n'aime pas beaucoup les brocolis. En revanche c'est vrai qu'avec Yann on a bouleversé leurs habitudes alimentaires. Par exemple, à la place des fameuses barres chocolatées et des sodas à la mi-temps, on leur a donné des gouttes de caféine sur un morceau de sucre. Bien sûr ils avaient faim dans un premier temps mais après plus du tout. Cela a surtout permis aux joueurs d'améliorer la constance de leur performance et de leur faire prendre conscience de l'importance de bonnes habitudes alimentaires. Yann a ensuite été remplacé par Hervé Castel, très compétent lui aussi.

J'ai aussi fait venir un ostéopathe parisien, Philippe Boixel qui travaille avec l'équipe de France, avec les meilleurs clubs, les plus grands joueurs. Il a une formation de kiné et d'ostéopathe. Il permet au joueur de récupérer plus facilement, d'avoir une meilleure approche des matchs, une meilleure gestion du stress. Il venait à Arsenal deux jours par semaine et il examinait tous les joueurs, les blessures et les déplacements articulaires provoqués par les coups reçus pendant les matchs.

Et puis un psychologue anglais, David Elliott, et aussi Tim O'Brien, David Preistley, le docteur Ceri, sont aussi intervenus au club

163

pour solidifier l'aptitude mentale de l'équipe et des joueurs.

Cette structure légère permettait à la partie technique du club d'être efficace, de rester à taille humaine et de créer un environnement favorable à la performance et à la progression. J'ai toujours eu le souci de m'appuyer sur les meilleurs dans leurs domaines et de pouvoir compter sur des instruments de mesure objective des performances. À Monaco j'avais ainsi été un des premiers à promouvoir l'outil d'évaluation de Jean-Marc Guillou pour guider le joueur dans son évolution, l'aider à repérer plus facilement les points à améliorer. À Arsenal nous avons été les premiers aussi à signer avec Prozone, la première entreprise qui permettait de mesurer la performance physique. Aujourd'hui c'est devenu usuel.

Tout devait permettre à cette équipe de hausser son niveau de jeu, de quitter le milieu de tableau et de conquérir le titre.

Après Patrick Vieira, Rémi Garde, Emmanuel Petit, un autre joueur a eu une importance déterminante pour mener l'équipe vers le titre de Champions en 1998. C'est Nicolas Anelka.

La première fois que je le rencontre, il est au centre de formation du PSG. J'étais venu en France pour acheter un jeune joueur d'Auxerre. Mes agents en France me parlent d'un jeune prometteur mais qui n'est pas content à Paris, qui joue peu. Je le rencontre. Il a 17-18 ans, il est timide mais il semble déterminé à partir et il me dit vouloir venir à Arsenal. Je rentre, attends, j'ai le sentiment qu'il va peut-être changer d'avis et vouloir rester au PSG. Mais deux mois plus tard sa détermination est intacte. Je me mets d'accord avec le PSG et nous l'achetons. Il arrive en février 1997. Il fallait le faire travailler, terminer sa formation, qu'il s'aguerrisse, qu'il s'intègre au groupe. Au début c'est difficile mais il progresse vite.

Pour le dernier match de la saison, le 11 mai 1997, nous nous déplaçons et jouons contre Derby. Je construis l'équipe sans lui. Avant de monter dans le bus qui nous emmène à Derby, je vois qu'il n'est pas là. Je le retrouve dans sa chambre en train de faire ses valises. Il n'est pas heureux, il trouve qu'il ne joue pas assez, il veut rentrer chez lui. Nous avons une longue conversation qui va tout changer. Je lui demande de ne pas baisser les bras, de s'imposer par son jeu, pas par des actions d'éclat, de ne pas fuir à la première difficulté. Et je réussis à le convaincre.

Le lendemain, après dix minutes de jeu, Paul Merson se blesse. Je fais rentrer Anelka et il devient un des hommes du match. Dans les vestiaires après notre victoire, je le retrouve avec le sourire des grands soirs. Je lui ai dit de ne jamais oublier ce qui venait de se passer en seulement vingt-quatre heures. Hier il pensait tout abandonner, le lendemain il était célébré comme un homme fort de l'équipe.

Après Nicolas est devenu une star. Mais cette histoire m'est restée. Dans les moments de fort découragement de certains joueurs, je savais que tout pouvait changer très vite. Et je dois dire que ça s'est vérifié très souvent dans ma carrière.

Quelques semaines avant ce dernier match de la saison, ma vie a changé : je deviens père. Sur le moment, peut-être étais-je trop pris par ma passion pour me rendre compte de cette grâce, mais la naissance de Léa en fut une.

Léa est née le 27 avril 1997 à Monaco. Elle m'a attendu d'une certaine manière : nous avions un match contre Chelsea que nous avons gagné, je me suis envolé pour Monaco et j'étais là auprès d'Annie pour l'accouchement. Annie et Léa m'ont rejoint à Londres à la fin de l'année et soudain, alors que je menais une vie de célibataire, nous avons eu pour notre fille une vie de famille que nous avons essayé de protéger le mieux du monde. Annie a été remarquable face à un homme aussi occupé que moi, aussi passionné et forcément un peu égoïste : elle a transmis à Léa tout son amour, ses valeurs, elle a été une mère formidable. Nous avons des rapports d'amitié, de respect. Je sais tout ce que je lui dois, je sais ce qu'elle a dû affronter et je sais que vivre avec un homme aussi fou de son métier, qui a fait du football sa religion n'était pas une chose facile. Je ne voulais pas passer ma vie sans être père, je voulais avoir un enfant. Mais j'ai plusieurs regrets comme beaucoup de pères : celui de n'avoir pas été assez présent parfois pour Léa et aussi celui de n'avoir pas eu davantage d'enfants. Léa a un frère Kegan et une sœur Erika. J'aime les grandes familles, j'ai le souvenir de réunions familiales avec beaucoup de monde, avec des rires et aussi des disputes, et je sais que ce sont de sacrées béquilles dans la vie car après on ne se sent jamais vraiment seul.

Léa est une jeune femme brillante qui a un goût inné pour la compétition. En classe, elle était tellement forte que j'espère qu'elle ne retrouvera jamais mes bulletins. Petite, tout jeu que je faisais avec elle devenait une compétition et elle y mettait toute son énergie pour me battre. Elle vit à fond les études comme l'athlétisme qu'elle pratique assidûment. Actuellement, elle prépare un doctorat en neurosciences à l'université de Cambridge et s'est engagée dans la recherche.

Léa était une enfant avec, je dois le reconnaître, énormément de capacités et une force de travail impressionnante. Elle a eu une enfance douce où nous avons essayé de lui transmettre la valeur des choses. On voulait qu'elle soit curieuse, travailleuse et respectueuse des autres et je crois que nous avons réussi. C'est aussi une jeune femme secrète, un peu pudique, sans doute comme moi. Elle a d'ailleurs dû souffrir parfois de mon absence, de notre séparation sans jamais me le dire.

Dans cette expérience de père j'ai été confronté à mes peurs et à mes doutes, peut-être justifiés de ne pas être à la hauteur. Léa a par contre eu la chance d'avoir une maman aimante, dévouée à sa famille, qui lui a consacré tout son temps et a largement contribué à faire d'elle ce qu'elle est aujourd'hui.

J'ai essayé de tenir Léa et Annie à l'écart de la violence des compétitions, de la violence de mes déceptions, des défaites (où j'avais tendance à me renfermer sur moi-même, à analyser en silence, à faire taire ma colère pour la remplacer par des éléments objectifs), mais elles ont dû cependant vivre avec le foot et la place centrale qu'il occupait dans ma vie et elles m'en ont certainement voulu parfois. Mais j'ai tenté aussi de partager le meilleur avec elles, les valeurs qui me tenaient à cœur. Annie et moi sommes heureux et fiers de la jeune femme que Léa est devenue.

La saison 1997-98 est celle de la conquête. Je me suis installé dans le club et j'essaie de jouer pleinement mon rôle d'entraîneur expérimenté et de remplir les trois missions qui me semblent essentielles. La première : influer sur le résultat et le style de jeu de l'équipe. La

deuxième : renforcer le développement individuel du joueur. La troisième : accroître la
structure du club et son rayonnement à travers le monde. Je m'occupe de la construction
du nouveau centre d'entraînement, de chaque
recrutement, des transferts, des entraînements
quotidiens et des interventions de chaque spécialiste auprès des joueurs. L'important c'est
bien sûr le style magnifique de l'équipe qui
repose sur les trois valeurs essentielles du club :
be together, act with class et *move forward*.
Une manière de vivre ces valeurs c'était aussi
d'avoir une certaine classe sur le terrain, sur le
banc et à l'extérieur. Au Japon j'ai commencé à
mettre des costumes et à Arsenal je n'ai jamais
perdu cette habitude. Il fallait incarner le club,
rendre fiers les supporters, être respectueux
de l'adversaire et refuser à chaque instant le
laisser-aller, l'à-peu-près. Les joueurs avaient
compris ça, l'importance de bien se tenir, de
bien agir, et eux aussi étaient le plus élégants
possible. D'autres petites choses en apparence
anodines comptaient beaucoup : avant chaque
match, aller saluer tous les clients du club, les
sponsors, rester dans les salles de réception et
le board avec eux, décorer ces salles avec des
fleurs aux couleurs du club que l'on affrontait.

C'était une recherche de l'excellence et de l'élégance permanente.

Il est aussi important d'installer une culture de la performance. Cette culture-là exige que le leader et les joueurs se posent les questions cruciales que j'ai déjà évoquées.

Comment puis-je devenir meilleur ?

Est-ce que j'ai atteint mon plein potentiel ?

Que dois-je faire pour y arriver ?

Ces paramètres sont sans doute la clé de tout succès : pour que le joueur se connaisse mieux, qu'il repère ses failles, qu'il comprenne comment les dépasser et atteindre le plus haut niveau. Ces joueurs avaient un mélange équilibré et remarquable d'intelligence et de motivation. Ainsi je peux compter sur des hommes comme Tony Adams, David Seaman, Lee Dixon, Ian Wright, Dennis Bergkamp, Marc Overmars, David Platt, Ray Parlour, et les Français que j'avais pu faire venir : Rémi Garde, Gilles Grimandi, Emmanuel Petit, Patrick Vieira et Nicolas Anelka.

Ce fut une saison extraordinaire. D'équipe de milieu de tableau nous avons montré à tous que nous pouvions être parmi les meilleurs et nous imposer. C'était une génération d'affamés, des hommes motivés pour gagner. Mais c'est une chose qui a été vraie tout au long de ces vingt-deux années à Arsenal et qui ne dépendait pas des titres. J'ai aimé les joueurs profondément, et j'avais pour chacun un profond respect : de leur histoire, de leur rigueur, de leur force, des sacrifices qu'ils faisaient pour être les meilleurs.

Cette année-là nous nous sommes lancé le grand défi de remporter le titre. Je me suis convaincu que nous pouvions gagner et j'ai convaincu les autres que c'était possible.

On avait huit points de retard sur Manchester. Le 14 mars 1998 à Old Trafford, on gagne 1 à 0 sur un but d'Overmars, joueur hors pair, sur une passe décisive d'Anelka. Pour moi ce match est comme un tournant, une manière de montrer qu'on était prêts pour l'affrontement historique avec Manchester. Et qu'on pourrait l'emporter face à cette équipe exceptionnelle. Que la Premier League pouvait compter sur nous.

Pendant toutes ces années, j'ai aimé notre rivalité avec Manchester, cette tension de chaque match. Alex Ferguson était prêt à mourir pour son club et moi pour le mien.

C'était lui ou moi. Et c'est la compétition qui explique cette opposition extrême. Alex Ferguson était un passionné, il était très compétent et avait une autorité écrasante sur le foot anglais de par son caractère et le pouvoir du club. Il y avait comme une pression inconsciente qu'il exerçait sur tout le monde jusqu'aux arbitres. On appelait notamment le temps additionnel le *fergi time*! et l'équipe gagnait beaucoup à domicile avec ce temps additionnel. Cette autorité était liée avant tout à la qualité exceptionnelle de l'équipe. Il y avait toujours un grand respect, beaucoup de classe. Bien sûr entre nous il y a eu beaucoup d'affrontements, des emportements, mais ce n'était pas un jeu, ce n'était pas pour le spectacle : c'était notre vie passionnée et entière dédiée au foot. On vivait tout à fond en ne pensant qu'à la victoire. Évidemment je savais que chaque signe d'énervement à son encontre, à l'encontre de ses joueurs était scruté et qu'il me fallait rester sous contrôle. Mais parfois cette tension est impossible à maîtriser. De part et d'autre ça déborde et ce sont ces moments que les supporters ou les journalistes retiennent. Je savais que nous étions très différents, qu'il avait une emprise totale sur son club alors qu'à ce moment-là

173

j'étais encore davantage entraîneur. Je connaissais aussi ses qualités immenses. Il savait s'entourer, il n'était pas immobile dans le succès, il avait un pragmatisme très efficace qui lui permettait d'éliminer tout ce qui pouvait l'empêcher de gagner. C'était un excellent meneur d'hommes qui savait prendre les bonnes décisions et qui faisait preuve d'un sens aigu de la psychologie. Notre relation a été intense, elle a connu des périodes agitées, d'autres plus calmes et apaisées, mais elle a animé le foot anglais avec passion. Une année on gagne tout, et l'année d'après, en 1999, on perd en demi-finale de FA Cup dans les prolongations contre eux et ils gagnent le titre de Premier League et la Ligue des champions. C'est dire notre rivalité toujours intense, le sentiment que tout pouvait arriver et qu'il fallait redoubler d'efforts.

Mais lorsque en 1998 nous avons remporté le titre, le 3 mai, en battant Everton 4 à 0, à deux journées de la fin de la saison de Premier League, nous avons montré à tous et en particulier à Manchester que nous pouvions les battre. Et lorsque treize jours plus tard, au stade mythique de Wembley, nous avons battu Newcastle 2 à 0 en finale de la FA Cup, ce fut magnifique. Nous savions qu'une grande aventure avait débuté et que justement elle ne faisait que commencer. Le doublé était magnifique et intense.

Je me sentais immensément fier pour l'équipe, pour le club : c'était la réponse magnifique que je pouvais apporter à ceux qui m'avaient fait confiance et aussi à ceux qui m'avaient fait vivre des semaines si difficiles. Un entraîneur étranger et inconnu pouvait gagner la confiance d'une équipe, transformer les habitudes des joueurs, bouleverser leurs vies, remporter des matchs et surtout remporter des titres. Mais je voulais beaucoup plus : les succès de cette année m'ont donné le poids, le crédit que j'espérais pour travailler encore davantage, être plus conquérant encore, offrir au club le meilleur. Je ne voulais pas qu'un titre : nous avions l'envie de tout remporter.

Ainsi, en 1999, on ne gagne pas le titre. Pourtant on s'impose autrement et on marque les esprits avec style.

Le 13 février, en Coupe d'Angleterre, on affronte Sheffield United en huitième de finale. Alan Kelly, le gardien de United, sort la balle en touche pour permettre aux soigneurs de s'occuper de Lee Morris, blessé. Ray Parlour veut rendre la balle à Alan Kelly. Mais Kanu, qui vient d'arriver chez nous, s'empare du ballon et centre pour Marc Overmas, qui marque. L'arbitre donne le but. On gagne et ça fait scandale. On se retrouve aussitôt dans les vestiaires après le match. Tous les joueurs sont d'accord pour rejouer, le président du club aussi. On doit convaincre la FIFA qui ne voulait pas parce qu'il n'y avait pas d'erreur manifeste d'arbitrage. Seulement vingt-quatre heures avant la tenue du match, on obtient de la FIFA l'autorisation de rejouer. Il fallait gagner et on l'a fait. C'était un match de coupe, un match important qui nous a menés en demi-finale contre Manchester, mais personne n'a hésité à le rejouer et c'est pour moi le plus important. Le fameux *Act with class* qui compte tant chez nous. Ça a permis à l'équipe de se fédérer encore davantage, et ça a contribué à rendre l'image du club et la mienne par la même occasion encore meilleure. Aujourd'hui, on passe à côté de ces valeurs de classe et de fair-play en valorisant le vainqueur à n'importe quel prix. Celui qui n'est pas premier, qui ne remporte pas la coupe a l'impression de n'être rien. Mais ce n'est pas vrai. Dieu sait si j'aime gagner, mais ce que nous voulions c'était gagner avec nos valeurs. Pour ce match rejoué, j'ai reçu le prix du fair-play, j'en suis très fier et je sais que le club l'était autant que moi. Les victoires précédentes comme ce genre de geste, tout cela nous donnait une âme et une direction.

Pour construire une équipe plus forte encore, pendant ces années-là, j'ai fait venir de nouveaux joueurs et j'ai pu compter sur leur talent immense.

Je connaissais Thierry Henry que j'avais fait débuter à Monaco. Je savais le joueur précoce, intelligent, brillant qu'il était. Il jouait à la Juventus mais cela se passait mal avec son entraîneur Ancelotti qui voulait le prêter à une autre équipe et Thierry ne le souhaitait pas. Je le sentais malheureux. Je suis parti avec David Dein négocier à la Juve. Ils espéraient qu'Anelka en échange viendrait chez eux, mais Anelka préféra le Real Madrid. J'ai attendu que Nicolas vienne me dire lui-même qu'il voulait partir et une fois qu'il l'a fait nous avons entamé les négociations avec le Real. Je l'ai laissé partir mais j'étais triste bien sûr, je pensais que c'était trop tôt pour lui, que ce serait difficile de porter un aussi gros transfert sur le dos et qu'il était encore dans une phase d'apprentissage. Ce qui compte plus que tout dans la carrière d'un joueur, c'est le club qu'il choisit et le moment où il le choisit. Après j'ai eu le sentiment que le Real n'avait pas donné toutes ses chances à Nicolas, qu'il avait été un peu boycotté, mais je ne pouvais rien faire.

On a réussi à faire venir Thierry Henry et il est arrivé en 1999 dans le club. Très vite, moi et tous les joueurs avons vu qu'il avait quelque chose de spécial. Je l'ai fait jouer progressivement dans l'axe. Il avait un sens du timing dans ses appels exceptionnel. Au début il était peut-être un peu maladroit dans la finition et il doutait de lui. Il pensait qu'il ne pouvait pas marquer. Quand on connaît aujourd'hui son parcours, qu'on sait qu'il est LE buteur incontesté d'Arsenal, le meilleur buteur du club, ces doutes peuvent faire sourire mais il fallait lui apprendre à croire en lui, à contourner sa timidité, sa nervosité, ses peurs, tout en sachant que ses doutes permanents lui permettaient d'avancer aussi et d'être plus fort. Il analysait très vite tout ce qui se passait et comment il aurait dû faire. Cette intelligence, cette capacité à s'analyser, se comprendre, se remettre en question, c'est aussi la marque des grands joueurs. Il a tout de suite fait partie de l'équipe, été accueilli et apprécié par ses coéquipiers pour ce qu'il apportait au jeu. Il a alors symbolisé pour tous, pour les fans, pour nous, la période dorée d'Arsenal.

L'année d'après, en 2000, je fais venir Robert Pirès et Sylvain Wiltord.

Sylvain jouait à Bordeaux. J'aimais sa mobilité, sa disponibilité, son opportunisme et son travail pour l'équipe. C'était un équipier et il savait prendre la bonne décision. Je l'ai fait venir après une négociation difficile. Il avait la réputation d'être un peu marginal, comme un animal sauvage. Il n'était pas dans l'affrontement mais dans l'évitement. Mais il a montré chez nous, comme à Lyon ensuite, quel joueur intelligent il était, avec une vraie compréhension du jeu, une qualité de démarquage, de réception de balle, une disponibilité exceptionnelles. Il faisait respirer l'équipe.

Robert Pirès jouait à Marseille. J'avais dit à Dreyfus que je le désirais. Je savais que Pirès voulait partir et je savais ce qu'il pourrait apporter à l'équipe et au défi que j'allais bientôt lancer aux joueurs. C'était un joueur de classe mondiale, magnifique et pendant quelques années, avant qu'il ne se blesse, sans doute le meilleur milieu gauche au monde et de loin. Il avait une technique incroyable, il était malin, finisseur. C'était un tueur mais toujours avec le sourire, l'homme le plus gentil qui soudain plantait le ballon là où il fallait. Le 23 mars 2002 contre Newcastle, il réalise un début de match formidable. Il marque un but, mais sur un tacle il retombe mal et se blesse horriblement. Les médecins diagnostiquent une rupture des ligaments croisés et il doit être opéré. C'est une vraie souffrance pour lui comme pour moi. Je m'en veux terriblement de l'avoir fait jouer, de ne pas l'avoir laissé se reposer. Je sais qu'il ne pourra pas jouer pendant des mois et disputer la Coupe du monde, avec le risque qu'il ne puisse plus retrouver son niveau de jeu si haut.

Cette année-là, le 8 mai 2002, on a réalisé un nouvel exploit : face à Manchester, sur sa pelouse, avec un but de Sylvain Wiltord, on les bat et on est à nouveau champion de la Premier League. C'est une victoire immense, un souvenir inoubliable aussi, d'autant que quatre jours avant nous avions battu Chelsea 2 à 0 en finale de FA Cup.

Ces deux victoires contre des clubs emblématiques de la Premier League étaient fortes en symboles, en significations pour les supporters et pour nous : on savait remporter des trophées et des coupes, on pouvait rivaliser avec des clubs comme Chelsea et Manchester qui avaient bien plus de moyens, de ressources financières que nous. Nous avions compris qu'il fallait compenser par la qualité de notre jeu, par la qualité du recrutement, en s'intéressant à d'autres joueurs que ceux qui s'achetaient très cher, en connaissant bien le marché.

Les années 2000 ont été celles de l'ouverture de l'équipe et du club vers une structure internationale. Autant en 1998 l'équipe était culturellement anglaise, autant les années 2000 sont celles du multiculturalisme. Je pense que l'on peut avoir plusieurs cultures à condition que cela ne soit pas au détriment d'une culture partagée. Et c'est là que la culture du club intervient et est importante. Elle doit être claire et acceptée par tous.

Dans ma manière d'entraîner, je cherche toujours à progresser, à devenir plus précis, plus juste, plus fort. En plus du travail de chaque

181

jour, je découvre en 2002 le travail de commentateur sportif pour la télévision et, de façon inattendue, cela m'apprend beaucoup.

C'est Étienne Mougeotte qui me contacte et
je rencontre Charles Villeneuve, chef des sports
à TF1. J'ai ainsi eu la chance de travailler aux
côtés de Jean-Michel Larqué, Thierry Roland,
Thierry Gilardi et Christian Jeanpierre, qui est
devenu un ami. Grâce à la télévision je pouvais
assister aux grands rendez-vous, me déplacer et
être là aux coupes du monde, aux grands championnats. C'était une autre manière de vivre
ma passion, d'être en lien avec les joueurs, les
entraîneurs, les agents. Et surtout ça me permettait de prendre du recul dans tous les sens
du terme : cette position d'en haut, d'observateur, de commentateur, m'apprenait beaucoup. Avec Christian Jeanpierre s'est nouée
tout de suite une très grande complicité. On
commentait à trois avec Bixente Lizarazu et
j'étais celui qui parlais le moins. Trois, c'est
sans doute un de trop. J'ai appris : maintenant
je pourrais parler beaucoup plus, je serais plus
à l'aise dans cet exercice. À l'époque je ne voulais pas empiéter sur le terrain des autres, et je
trouvais que c'était difficile de parler à chaud,
pendant l'action. Je préfère l'analyse avant ou

182

après match comme je le fais aujourd'hui pour Bein Sports. D'ailleurs, en 2004, je signe mon premier contrat avec Nasser al-Khelaïfi, alors chef du service des sports et qui gravira rapidement tous les échelons à l'intérieur de Bein. Bien sûr je suis un homme de terrain, je préfère la compétition, l'action, mettre les idées en pratique plutôt que de ne manier que les idées. Mais j'ai aimé essayer de dire ce qu'était le foot, le jeu, aux téléspectateurs, et l'on sait que la parole compte, peut changer bien des choses, qu'il faut la prendre. Un entraîneur, je l'ai souvent dit, c'est un homme qui a les idées claires, qui sait ce qu'il veut et qui le formule clairement. Commenter des matchs, les analyser pour le plus grand nombre m'a aidé à préciser ma pensée, à la transmettre. C'est aussi là que j'ai mesuré la place que la télévision allait avoir dans le foot, qu'elle offrirait au foot des moyens considérables mais qu'en échange elle serait toujours plus présente, réclamant des prestations nouvelles. Que ces prestations seraient demandées aux présidents et non à nous les techniciens, et qu'il faudrait l'accepter en essayant d'en tirer le meilleur tout en protégeant l'équipe et en tentant de poser des limites.

La saison 2002-2003, on ne gagne pas le titre. On est deuxième après Manchester et pourtant je nous sens tout proches de pouvoir réaliser le nouvel exploit de gagner, de battre notre grand rival et de marquer l'histoire du foot. Je sentais l'équipe soudée, expérimentée, puissante, à son plus haut niveau, avec un mental d'acier, un mélange d'anciens adorant la compétition, et de jeunes joueurs solides qui avaient tout à prouver et à vivre. Il ne leur manquait presque rien pour être les premiers, le déclic, une part de magie.

À la fin de la saison 2002-2003, nous avons fait un championnat sans perdre à l'extérieur mais nous terminons deuxième. J'avais demandé à mes joueurs pourquoi on n'avait pas gagné le titre. Ils m'avaient dit que je leur mettais trop la pression, que l'objectif de gagner sans perdre un match leur semblait alors inatteignable. Par défi et parce que j'y croyais, je leur avais répondu qu'ils pouvaient gagner, qu'ils pouvaient même faire mieux que ça : gagner sans perdre un match. L'équipe des Invincibles, c'est la même que celle qui finit deuxième du championnat et qui ne croyait pas en ses chances. Ça a toujours été une leçon pour moi : croire et offrir les plus hautes ambitions, semer et récolter un an, deux ans plus tard.

Pour leur prouver que j'avais confiance en eux, que j'étais sûr de moi, je l'avais déclaré en conférence de presse : nous pouvions gagner sans perdre. Et tant pis pour ceux qui nous traitaient de fous ou d'arrogants. J'avais toujours pensé que le but ultime d'un entraîneur est de gagner un championnat sans perdre de match. C'était une forme d'obsession que je trimballais avec moi. On peut être premier de la classe avec 18/20 mais on ne peut pas être deuxième avec 20/20.

Au début de la saison 2003-2004, je leur ai répété ce que j'avais affirmé : ils pouvaient gagner le titre sans perdre, j'y croyais et c'était notre objectif.

Je me souviens de chaque joueur de cette équipe exceptionnelle. On connaît évidemment les stars, les joueurs phares, Patrick Vieira, Gilberto Silva, Ray Parlour, Cesc Fàbregas, Robert Pirès, Dennis Bergkamp, Thierry Henry, Nwankwo Kanu, Asley Cole, qui était au centre de formation d'Arsenal depuis ses 11 ans et que j'avais fait débuter, Jens Lehmann. Il y avait aussi deux défenseurs qui ont eu une importance fondamentale.

Sol Campbell est arrivé à Arsenal en 2001. Il était la pièce maîtresse de notre rival Tottenham et en fin de contrat chez eux. Personne n'aurait pu imaginer une seule seconde qu'il puisse venir chez nous. Pour préparer sa venue, discuter des conditions, on faisait des rendez-vous chez David Dein vers 11 heures du soir et on se promenait dans le quartier entre deux discussions vers minuit, une heure du matin. Seuls David, son agent Sky Andrew, Sol et moi étions au courant. Nous mesurions l'impact que ça allait avoir. Lorsque j'ai convoqué une conférence de presse pour l'arrivée d'un joueur, et que Sol Campbell est entré dans la pièce devant les journalistes, une bombe aurait eu le même effet. Venir chez nous après avoir passé tant d'années à Tottenham était un acte de courage exceptionnel. Et ce que nous redoutions, connaissant les supporters, leur passion, leur fureur, est arrivé : il a eu souvent une vie difficile à Londres, et il a dû supporter des affiches qui le désignaient comme le traître, un Judas.

Pour moi c'était un homme de grande qualité, un défenseur extraordinaire avec une puissance phénoménale. Il a eu un impact énorme chez nous et les saisons n'auraient pas été les mêmes sans lui. Mais je sais ce qu'il a dû supporter pour le club, le poids des attaques incessantes.

À ses côtés j'avais placé Kolo Touré, qui est arrivé une année après lui. Il avait été formé par l'académie Jean-Marc Guillou installée en Côte d'Ivoire. Jean-Marc, que j'ai connu au temps de l'AS Cannes et de Monaco, était parti s'installer en Côte d'Ivoire et il y avait fondé cette académie de football que ses amis, dont moi, avaient contribué à mettre en place. Il l'avait baptisée académie Johan, du prénom de son fils décédé bien trop tôt. Ça a été une école très importante pour le football africain. Jean-Marc a ainsi par ses qualités immenses d'entraîneur formé toute une génération de joueurs en Côte d'Ivoire et dans les pays limitrophes. Je suivais toujours son travail, je savais l'excellence de sa préparation, le cadre qu'il leur donnait, le niveau technique qu'il leur permettait d'atteindre. L'académie a disparu aujourd'hui mais Jean-Marc a créé d'autres structures similaires avec la même exigence, au Mali, en Algérie… Nous avions établi une association entre le club et l'Académie, et c'est ainsi que j'avais repéré ce joueur et d'autres après lui comme Emmanuel Éboué, qui a rejoint le club l'année suivante.

Kolo Touré était venu faire des tests à Bâle, à Bastia, à Strasbourg. Et il avait été refusé partout. Il devait repartir en Côte d'Ivoire. Mais ce joueur m'intriguait. J'avais envie de le voir jouer et je faisais confiance à Jean-Marc, même si je savais que les joueurs devaient se confronter au jeu européen et que c'était un vrai test. Je lui proposai un essai. Et j'ai vu : il avait une faim de loup, il était prêt à manger et à démolir tout le monde. Je l'ai gardé. Il est devenu l'homme charnière des Invincibles, un homme clé, et le moins cher de toute l'histoire du foot puisque j'avais négocié son contrat pour une somme dérisoire. Il est devenu l'un des meilleurs défenseurs centraux.

Dans cette défense exceptionnelle, il y avait aussi Lauren, un joueur camerounais de grande qualité qui était fait pour aller au combat. Et bien sûr Ashley Cole qui allait faire une brillante carrière. Devant notre gardien Jens Lehmann, un gagneur hors pair, on avait ainsi mis en place une défense en or qui a été un des moteurs de notre succès, le nerf de la guerre des Invincibles.

Au début de la saison, j'avais donc dit à l'équipe : « Je sais que vous pouvez gagner sans perdre un match. » J'en étais persuadé et je voulais qu'ils s'en persuadent tous, qu'ils intègrent ce défi : nous avions déjà gagné des matchs, des championnats, des trophées, on pouvait réaliser quelque chose de plus grand encore. En fixant des objectifs élevés, il faut du temps et de la patience pour qu'ils s'impriment vraiment dans les esprits. Mais gagner tout le temps, repousser la défaite, faire disparaître la peur de perdre c'était mon objectif.

Et on a fait mieux que gagner un championnat sans perdre : il y a eu 49 matchs d'affilée sans défaite. Pendant tous ces mois, on a maintenu intacts notre motivation, notre esprit, notre travail acharné. On était uniquement centrés sur l'objectif de très bien jouer à chaque match, de corriger aussitôt toute faute individuelle, de maintenir le niveau d'ambition.

Nous avions tous cherché à développer un esprit particulier propre à cette équipe. Une culture de la performance. Il fallait que chaque joueur ait une image claire de ce qu'il pourrait développer. C'est le moment où l'équipe s'est approprié les valeurs qui me semblaient importantes : soudain mon projet est devenu le leur et ils l'ont porté pendant ces 49 matchs. Il y avait de l'émulation entre les joueurs, du respect, ils se fixaient des objectifs et ils étaient prêts à en payer le prix. Nous avons vécu une sorte d'état de grâce collectif. Individuellement aussi chacun avait un charisme fort et des ambitions personnelles. Ils ont maintenu un niveau d'exigence très haut pendant toute la saison et je suis très admiratif de cela. Parce que pendant une saison on ne peut pas maintenir l'équipe sous cloche. Les joueurs ont certainement eu des soucis, des douleurs, mais quand ils jouaient ils n'étaient là que pour le jeu, l'équipe, leur passion. Ces joueurs ont fait mieux que les autres parce qu'ils se sont approprié notre projet, notre désir, et ils ont développé leur propre style qui est devenu le style d'Arsenal en misant sur ce qui fera toujours le succès d'une équipe : le talent individuel, l'intelligence collective et l'humilité.

Je me souviens que tout était important alors, tout devait nous servir à nous mettre dans un état mental où l'on ne pensait qu'au jeu, à la victoire. J'avais des rites, je me préparais toujours de la même façon : le sport le matin, la préparation avec les joueurs, tout était codifié ! Boire ce café à la même heure, manger ensemble, se mettre dans les conditions de la compétition, diriger la réunion d'avant match, la promenade, la séance d'étirements. Tout cela me permettait de sentir l'énergie de l'équipe par l'attitude des joueurs, leur écoute, leur concentration.

Pendant cette période, j'ai découvert une chose merveilleuse : nous n'avions plus peur de la défaite. Et cette peur en moins nous permettait d'être meilleurs. On ne se concentrait que sur ce qui pouvait nous faire gagner. Je découvrais ainsi un autre aspect du métier que j'ai adoré et ça m'a rendu encore plus passionné. Nous devions incarner tous les jours un peu plus la constance et la passion de l'exigence partagée.

On était champions de la Premier League à cinq matchs de la fin. Mais je ne voulais pas qu'on s'arrête à cette victoire. Je pensais qu'il ne fallait pas relâcher nos efforts, nos exigences et que ce rêve de vie sans défaite devait continuer. Je les ai félicités pour cette victoire mais je leur ai dit que ça ne suffisait pas : qu'ils pouvaient, que nous pouvions devenir immortels en continuant à gagner. Ils n'ont pas lâché jusqu'au 50ᵉ match et maintenant ils en ont conscience : ils sont immortels. Ce fut la récompense d'une vraie constance dans la concentration, dans l'effort, d'un sens du collectif magnifique : Campbell criait ainsi à chaque début de match « ensemble » comme cri de ralliement, et cela dit tout de l'esprit qui nous habitait.

Je revis souvent ces 49 matchs sans défaite. Je crois aux signes parfois et comme je suis né en 1949, je me dis parfois que c'était notre destin de perdre le 50ᵉ. Ces 49 matchs sont inscrits en moi et en chaque joueur : c'est un socle, des victoires importantes, le triomphe d'une passion. Après j'ai eu des équipes qui auraient pu gagner comme ça mais à qui il a manqué quelque chose. Et c'est par la comparaison souvent qu'on mesure encore davantage la qualité des joueurs, leur intelligence, la chance qu'on a eue aussi. La défaite vient d'une bêtise et d'un peu d'égoïsme. Aujourd'hui ce qui me marque le plus ce sont ces joueurs qui avaient la capacité de prendre en compte l'intérêt collectif dicté avant tout par l'envie de gagner. C'est certainement la marque des grands, de ceux qui arrivent à donner toujours de l'importance aux vraies priorités. Et c'était aussi le sens de nos réunions de préparation.

Le 24 octobre 2004, après ces matchs incroyables, nous connaissons contre Manchester United notre première défaite. C'est un match que je n'oublierai jamais. On perd 2-0 et on a le sentiment d'un vrai hold-up. C'est un match dur avec beaucoup de duels, de fautes, d'énervement. On domine sans parvenir à marquer. Et puis à la 73e minute l'arbitre siffle un penalty pour une faute qui ne le méritait pas de Sol Campbell et ça change tout le match. Nous perdons 2-0. Et puis tout part à la dérive. Les joueurs comme moi-même ressentions une énorme injustice. On n'avait pas mérité de perdre. Après le match les joueurs se sont bousculés, les entraîneurs aussi, Ferguson était au milieu de la mêlée et un joueur, Fàbregas, lui a lancé une part de pizza qui a atterri sur sa tête. Évidemment, notre défaite, le penalty accordé très généreusement, les bagarres et la pizza ont fait entrer le match dans l'histoire de nos relations houleuses avec Manchester. Mais pour

moi, pour l'équipe, ça a été un coup très dur.
On savait qu'un temps heureux, unique s'ache-
vait, un moment sans peur, et que cet état de
grâce serait difficile à retrouver. On a été tellement déçus que pendant 5 matchs on n'a pas
gagné : on faisait des nuls ou on perdait. Ce
fut difficile pour tout le monde de se remettre.

Quelques mois plus tard, un autre match
a marqué le monde du foot anglais : c'était le
14 février 2005, Arsenal-Crystal Palace : 5-1.
La presse a remarqué que l'effectif d'Arsenal
ne comprenait aucun joueur anglais. Ashley
Cole et Sol Campbell n'étaient pas là. Il y
avait Dennis Bergkamp, José Antonio Reyes,
Kolo Touré, Thierry Henry, Patrick Vieira,
Lauren... Mais en choisissant ces joueurs je ne
m'en suis pas rendu compte. La réaction des
journalistes et la polémique suscitée m'ont surpris bien sûr, même si je savais qu'ils étaient
fiers, attachés à ce genre de symbole et j'en
avais fait les frais, ce qui était un peu compré-
hensible. À l'époque, il n'y avait pas suffisam-
ment de joueurs de grande qualité, le niveau
de la Premier League était très bon mais il
n'y avait pas de réservoir de jeunes talents.
Les joueurs étrangers créaient de l'émulation,

permettaient aux autres joueurs de progresser. Ces critiques étaient injustes. Aujourd'hui, les Anglais ont fait progresser la qualité de leur ligue, de leurs jeunes joueurs, grâce notamment aux centres de formation qui sont nés et se sont multipliés. Ils ont créé des structures de qualité avec des entraîneurs magnifiques et un encadrement très bon, alors qu'avant les jeunes se formaient à l'école, comme ils pouvaient, dans des conditions proches de celles des amateurs. La Fédération a ainsi pris en charge la formation des jeunes. Aujourd'hui il y a ce réservoir de talents et surtout le niveau est très bon. Ça a pris du temps et nous y avons contribué. Dans notre centre de formation, on recrutait de jeunes joueurs venant de l'étranger. Je pensais qu'en les prenant jeunes, ils allaient acquérir plus vite, plus facilement les codes de la Premier League, la mentalité et la culture anglaises, et qu'ils inspireraient les joueurs anglais. Ainsi quand ces recrues étrangères commençaient à jouer ils étaient déjà en Angleterre depuis quatre ans et personne ne pouvait leur reprocher de ne pas connaître ou de ne pas comprendre le jeu anglais. Et puis j'étais sûr que cette ouverture contribuerait à la réussite d'Arsenal, qu'il fallait un mélange entre la culture locale et des cultures étrangères, qu'on pouvait amener les meilleurs joueurs sans regarder leur passeport et contribuer à élever le niveau anglais. En 2005 ça a créé une polémique et un flot de critiques. Mais pour moi seule compte la qualité des hommes et je défendrai toujours cette idée contre tous les replis, toutes les oppositions.

Le sport a une responsabilité sociale fantastique. Il peut être en avance sur la société et donner un exemple à suivre. En tout cas, c'est son rôle. C'est la seule activité qui ne repose que sur le mérite, qui ne récompense que le mérite. J'ai toujours senti que cette responsabilité était très importante et qu'il fallait être à la hauteur. D'où l'attention primordiale accordée au centre de formation qui, s'il est performant, bien structuré, bien pensé, ambitieux, avec une vraie stratégie, des valeurs fortes, permet l'émergence des talents et leur intégration à l'équipe première. Et je le répète : peu importe d'où viennent ces talents. Seuls comptent les efforts qu'un joueur est prêt à faire, son don, sa passion et son travail.

Dans la réussite de la formation, il y a le recrutement en premier, le programme de développement du joueur en second et

l'intégration dans l'équipe première en troisième. Aujourd'hui, en Angleterre, les centres
de formation sont très performants dans les
deux premiers et beaucoup moins dans le
troisième.

Parce que repérés très tôt et spécialisés très
tôt, les jeunes joueurs de talent sont isolés de
plus en plus, éloignés d'une vie sociale nor-
male et sont soumis à une attente de réussite
de leur environnement, notamment la famille,
parce qu'ils représentent un espoir et un investissement importants. En voulant créer un
environnement favorable au développement
du joueur, le club crée une situation de soutien permanent. Le challenge est aujourd'hui
de trouver un meilleur équilibre entre les
périodes de soutien et d'initiative individuelle.
L'éducation du sportif de haut niveau doit
permettre de développer son jugement des
situations et sa capacité à surmonter de grosses
déceptions.

En faisant des tests de personnalité avec
Jacques Crevoisier, sur une dizaine d'années, nous nous sommes rendus compte que
c'est l'endurance de la motivation qui est

déterminante dans la réussite des joueurs. Les jeunes ont besoin de modèles pour apprendre. Il faut qu'ils possèdent une qualité forte pour réussir. On construit sa vie, sa carrière avec une qualité dominante : on n'a jamais toutes les qualités.

Si le foot se résume à l'accueil du ballon, la prise de décision et la qualité de l'exécution, nous nous sommes rendus compte que c'est la prise d'information qui fait la différence entre les joueurs. En Premier League, les bons joueurs prennent entre 4 et 6 informations dans les dix secondes précédant la réception de la balle et les très bons entre 8 et 10. Il est donc important de développer des exercices qui permettent d'augmenter ces prises d'information.

Dans mon métier d'entraîneur, j'ai souvent affronté des reproches et j'ai essayé d'être le plus juste possible en tenant compte de ceux qui pouvaient être fondés. Mais j'ai toujours voulu tenir bon lorsqu'il s'agissait de mes convictions profondes sur le jeu, le club. J'ai dû prendre des décisions qui ont suscité des réactions, des oppositions, mais j'avais la maturité pour les affronter. Et ainsi j'ai cherché à

suivre ma voie, à travailler sans trop de compromis avec moi-même et à favoriser un football d'expression. La contrepartie c'est bien
sûr d'accepter la violence de la sanction et la
solitude que la rigueur d'une décision crée. Ce
métier est une formidable école de rigueur où
il n'y a pas de place pour le laisser-aller et où le
moindre relâchement se paie au prix fort. Rien
ne comptait que le jeu et le club. C'est en ce
sens aussi que le football peut être ou devrait
rester un modèle pour la société : plus de justice et de récompense pour celui qui déploie le
plus d'efforts. Le sport de haut niveau repose
sur ce principe et peut être un exemple par
l'exigence qu'il demande. Les grands joueurs
font leur vie avec leur passion, leur talent, leur
mérite, leurs investissements. Et ils sont des
modèles. C'est pour cela aussi qu'on les aime
et qu'ils ont toute notre admiration. On a un
peu trop l'image de grands privilégiés avec une
grosse voiture, une belle montre, une belle
fille, mais le football que je connais et que j'ai
aimé à Arsenal pendant toutes ces années ce
n'est pas ça. On ne montre pas assez les efforts
que ces joueurs ont faits pour en arriver là, on
ne dit pas assez qu'ils n'ont que 20, 22 ans
et qu'à cet âge tout le monde fait des bêtises

mais qu'eux seuls se retrouvent dans les journaux pour ces raisons-là. Face à ça, mon rôle d'entraîneur fut de garder le respect que j'avais pour chaque joueur et de leur rappeler juste leurs responsabilités, l'exemple qu'ils pouvaient donner.

Malgré cette polémique en 2005, il me semble que tout le monde aujourd'hui reconnaît les modèles qu'ont été ces joueurs étrangers et la façon dont ils ont porté le club, prouvant à chaque match l'amour pour notre jeu, pour Arsenal, pour la Premier League, pour la gagne.

Toutes ces années, une détermination sans faille m'a guidé et m'a protégé face aux attaques, aux défis et aux épreuves. Cette volonté m'a protégé de la peur : elle m'a fait agir en n'écoutant que ma passion. À Arsenal j'ai découvert qu'être entraîneur c'était un peu la roulette russe : avant chaque match tu mets une balle dans le barillet, pendant le match tu appuies, et tu penses et espères que jamais tu ne vas prendre la balle.

Bien des matchs m'ont donné ce sentiment-là. En particulier la finale de la FA Cup le 21 mai

2005 contre Manchester United, que nous avons gagnée dans les tirs au but. C'était la dernière fois que Patrick Vieira, qui nous offre la victoire, touchait un ballon pour Arsenal avant son départ pour la Juve. On a gagné mais Manchester face à nous était exceptionnel. J'avais réussi à convaincre Vieira de rester une année supplémentaire et de ne pas aller au Real. Il m'a écouté, il voulait partir sur une dernière belle expérience et ce match de finale lui a offert ce qu'il cherchait. C'est un souvenir magique pour tout le monde et ça a participé à mon record unique qui n'a jamais été égalé par aucun entraîneur après : gagner 7 Coupes d'Angleterre et 8 Supercoupes !

Je sens instinctivement que cette saison 2004-2005 couronnée de victoires et en particulier de cette coupe marque la fin d'une époque. Dans les années qui suivent nous devons affronter et accepter le départ de joueurs emblématiques : Vieira d'abord, Thierry Henry l'année suivante puis Pirès, des joueurs qui m'avaient donné tant de crédit et qui avaient donné au club tout leur talent, leur fougue. Et puis il faut affronter le départ, voulu, préparé mais toujours douloureux du stade mythique d'Highbury à l'Emirates. Tout cela coïncidant crée évidemment des bouleversements, des réajustements, et si ces années ont été perçues comme plus difficiles que les années passées, elles étaient aussi celles de nouveaux défis, de nouveaux talents à faire émerger.

Ces joueurs stars qui voulaient partir j'avais accepté de les perdre : je savais que je ne pouvais pas les retenir. C'était très difficile bien sûr mais on avait décidé de surveiller nos finances. Nous étions engagés dans la construction d'un nouveau stade, il fallait faire attention et j'avais aussi choisi une politique de jeunes joueurs, ces joueurs historiques le savaient. Thierry Henry était venu me voir : « Coach, j'ai 31 ans, on ne peut pas gagner le championnat avec des jeunes. » Je comprenais ce qu'il voulait dire : ça allait prendre du temps pour bâtir une équipe aussi solide et expérimentée que celle où il avait rayonné et lui, à 31 ans, était pressé, il voulait encore connaître de grandes victoires. Je ne pouvais pas retenir ou dire à des joueurs qui avaient tout donné au club : « Non, tu ne partiras pas. » Je savais aussi que leur départ était une manière de faire rentrer de l'argent pour payer le nouveau stade. C'est pour ça que j'ai vécu ces départs différemment des supporters : je ne pouvais pas en vouloir aux joueurs, et je savais que les départs faisaient partie du métier. Les joueurs sont des pros, ils veulent gagner. Il faut être philosophe et toujours se mettre à leur place ; et puis quand quelqu'un a tout donné et que tu ne peux plus répondre à ses ambitions très légitimes, on ne peut pas être fâché. Vieira est parti à la Juve, Henry au Barça, Pirès à Villarreal. Mais tous ces joueurs seront toujours associés à Arsenal, ils seront avant tout des joueurs d'Arsenal.

Pour un club de football c'est la partie technique qui est la plus importante, le nerf de la guerre. Les dirigeants ne l'acceptent pas toujours. Si on change le directeur commercial, ça ne change pas le club. Mais si Thierry Henry part c'est une nouvelle histoire qui commence. Le football repose sur les joueurs, sur leurs qualités. Aujourd'hui les hommes, la modernité, veulent nous faire croire que les joueurs sont interchangeables mais c'est faux. Quand on perd Vieira, Pirès, Henry, on ne les remplace pas. On ne peut pas les retenir financièrement et en même temps on est soumis à la loi de l'âge : ces joueurs allaient partir de toute manière et ne pouvaient pas jouer longtemps encore. La partie technique est condamnée à évoluer sans cesse. On écrit alors une autre histoire, en tâchant de conserver, de transmettre et de faire perdurer l'essentiel : les valeurs, l'esprit du club.

Cette nouvelle histoire pour le club, l'équipe et moi s'incarne aussi dans la construction du nouveau stade.

Le 7 mai 2006, nous jouons notre dernier match dans l'enceinte d'Highbury. Nous affrontons Wigan et gagnons 4 à 2 avec un but de Pirès et trois buts de Thierry Henry dont un penalty. On réussit à l'emporter alors qu'en première mi-temps on était menés 2 à 1. Il y avait une émotion énorme, notamment chez ces joueurs si emblématiques qui savaient qu'ils allaient bientôt quitter le club. Nous avions organisé une cérémonie d'adieu et le meneur des Who, Roger Daltrey, fan du club, avait composé et chanté ce soir-là une chanson spécialement pour cet adieu. J'étais très triste : c'est là dans ce stade que j'avais vécu la concentration de mes émotions de façon si exceptionnelle. Il m'arrive des années après ce départ d'Highbury et encore aujourd'hui de passer en voiture, seul, devant.

On a transformé les quatre tribunes en appartements. Toutes les fenêtres donnaient non sur la rue mais sur un jardin, notre ancien stade ; j'ai hésité à prendre un appartement là mais ça m'aurait semblé beaucoup trop triste. Pour construire le nouveau stade nous avions sans cesse besoin d'argent, et la transformation d'Highbury en immeubles était une manière de financer le projet de l'Emirates. Nous étions devenus la plus grande entreprise immobilière en Angleterre à ce moment-là. Lorsque la crise immobilière a frappé Londres en 2008, on a eu du mal à vendre des appartements et la situation était très critique, nous obligeant parfois à céder au rabais et à sortir l'argent venant du foot pour financer l'entreprise immobilière. Et puis la crise est passée, on a vendu les appartements, les terrains autour qui nous appartenaient aussi et on s'est remis de ces moments difficiles.

C'était un crève-cœur de se séparer d'Highbury et d'assister à sa disparition. Nous n'avions pas le choix : le stade pouvait accueillir 38 000 spectateurs et nous avions une liste d'attente énorme à chaque match. L'ancien stade ne suffisait plus. Nous étions comme une entreprise obligée de refuser des clients. Après avoir

205

cherché un terrain à côté, nous avons choisi de construire ailleurs. On pensait investir 220 millions de livres pour la construction : on a terminé à 428 millions. Le terrain sur lequel on a décidé de construire coûtait déjà 128 millions. Il fallait relocaliser les entreprises qui occupaient le site. Puis le prix du stade monte très vite. Dans la construction du stade, à l'époque, chaque siège coûte 4 000 livres. Et le nouveau stade en comptait 60 000.

Nous sommes devenus dépendants des banques. Ce projet d'investissement à long terme était important à réaliser pour le club. Il comportait aussi de grandes contraintes. Les banques exigeaient des garanties comme la limitation des salaires à 50 % du budget. Et une garantie technique en me demandant de signer pour 5 ans. Le projet et moi étions liés. Cela m'engageait dans le long terme. Je venais de passer 10 ans à Arsenal et je m'engageais dans un quinquennat semé d'embûches. Je dois avouer que j'étais très content de le faire. Arsenal c'était mon club, ma vie. Je me souviens avoir dit à ma femme que j'arrêterais sans doute à 50 ans. Finalement c'est à 69 ans que l'aventure s'est terminée et cela dit tout aussi de cette passion. Ça n'a pas été un

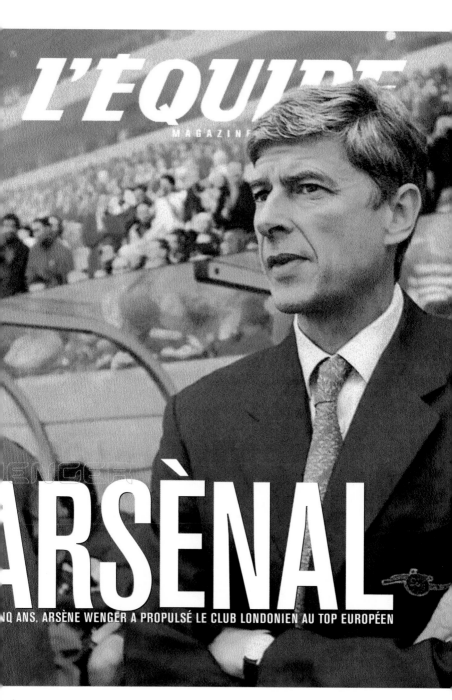

L'ÉQUIPE

MAGAZINE

ARSÈNAL

...NQ ANS, ARSÈNE WENGER A PROPULSÉ LE CLUB LONDONIEN AU TOP EUROPÉEN

L'Équipe magazine, 14 avril 2001.

L'ÉQUIPE

MERCREDI 24 FÉVRIER 1999   LE QUOTIDIEN DU SPORT ET DE L'AUTOMOBILE   ★ 53e ANNÉE — No 16 423 — **4,90 F**

N MATCH POUR L'EXEMPLI

...ue la qualification d'Arsenal (2-1) contre Sheffield, il faut surtout retenir le déroulement de ce match rejoué après une intervent
...ene Wenger, qui n'avait pas supporté de voir son équipe s'imposer sur un coup douteux. Un comportement à méditer et à suiv
(Page 3)

L'Équipe, 24 février 1999.

Avec la Reine à Buckingham, entre Peter Hill-Wood et Ken Friar.

Sur le chantier de l'Emirates et dans le stade.

Après la victoire de la Coupe d'Angleterre en 2014 à Wembley. On aperçoit Bacary Sagna, Olivier Giroud, Per Mertesacker, Thomas Vermaelen, Mathieu Flamini.

En 2017, notre victoire contre Chelsea en finale de la Coupe d'Angleterre.

Célébration de notre Coupe d'Angleterre en 2017.

Le temps des adieux.

sacrifice pour moi. J'ai adoré travailler autant et contribuer à faire d'Arsenal un club avec une structure adaptée au fonctionnement du football moderne. Avec le stade, j'ai pu pleinement accomplir ce que je pensais être aussi le rôle d'un entraîneur : donner une autre dimension à un club. Et j'ai eu la chance inouïe de pouvoir réaliser tout cela dans la durée.

Ce jour de mai 2006, en disant adieu à Highbury, je ne pensais pas à ce que nous allions accomplir plus tard : j'étais surtout triste et reconnaissant des joies immenses éprouvées dans ce stade. Il me fallait dire au revoir à ce que je considérais comme ma maison. Highbury avait un esprit, celui de ceux qui nous avaient précédés, celui que nous avions voulu lui donner ; je le ressentais avec force et je savais qu'en perdant ce stade, nous ne pourrions pas le retrouver complètement ailleurs. Comme ces vieilles maisons peu fonctionnelles, mal chauffées, mais où l'on se sent merveilleusement bien et chez soi, face à une maison ultramoderne et pratique mais où l'on se sent toujours un peu comme un étranger. Pourtant j'aime l'Emirates, je sais qu'il fallait le construire, que ce stade et les ressources générées étaient une nécessité pour le potentiel financier futur du club. Aujourd'hui ce stade est naturellement la maison du club et j'en suis fier. Pour autant tous ceux qui ont connu Highbury sont nostalgiques comme moi et le seront toujours, une nostalgie que les générations à venir n'éprouveront pas. Je sais que les supporters ont eu cette relation difficile et contradictoire eux aussi parce qu'ils ont su pendant toutes ces années que la construction et le coût du nouveau stade nous obligeaient à limiter nos ambitions. Mais là encore l'avenir appartient aux nouvelles générations, la page s'est tournée et aujourd'hui avec des finances très saines et une ambition renouvelée les supporters sont fiers de leur stade.

Quelques jours après l'émotion des adieux à Highbury, nous jouons la finale de Ligue des champions à Paris, au Stade de France contre Barcelone. C'est un moment crucial, l'aboutissement de tant d'efforts pour les joueurs. Nous avons éliminé avant le Real Madrid, la Juventus, Villarreal au cours de matchs flamboyants.

Dans l'histoire d'Arsenal, avant mon arrivée, je crois que le club n'avait joué que quatre fois en Ligue des champions. Cette finale c'était mon objectif. Petit à petit, à force de travail, on s'est installés dans la compétition. Nous sortions régulièrement des groupes, nous nous sommes qualifiés vingt fois d'affilée, on était à la lutte, en quart, en demi jusqu'à cette finale. La Ligue des champions apportait une reconnaissance énorme au club : aujourd'hui c'est un peu moins vrai, c'est presque plus difficile de gagner le championnat anglais que la Ligue. Ces années-là l'Europe était dominée par le Real, le Barça et le Bayern. Quoi qu'on fasse, à cause du tirage, on tombait toujours contre le Barça et le Bayern.

J'ai joué 8 finales de Coupe d'Angleterre et j'en ai gagné 7, mais j'ai toujours eu une sorte de malédiction européenne. J'ai toujours perdu en Ligue des champions dans des circonstances incroyables et ce sont des matchs qui me restent toujours en travers de la gorge. Mais celui qui me fait le plus mal et que je n'ai jamais pu revoir depuis, c'est bien ce match de finale en 2006 contre le Barça. Pendant toute la compétition on n'avait pas pris un but. On avait affronté en 8ᵉ de finale le Real qui avait des joueurs inouïs : Zidane, Ronaldo, Beckham, Raúl. On avait gagné au match aller et obtenu le nul au match retour. En quart on affrontait la Juve où jouaient Trezeguet, Vieira, Ibrahimović, Emerson, Thuram, Buffon. Comme pour le Real, on avait réussi à gagner chez nous 2-0 et à obtenir le nul chez eux. En demi-finale on affronte Villarreal : Kolo Touré nous offre la victoire en match aller chez nous et au match retour Lehmann nous sauve en arrêtant un coup franc. Le drame, l'ironie, parce que le sport réserve toujours des surprises et des retournements de situation, c'est qu'il nous permet d'accéder à la finale et qu'en finale il s'en voudra toujours de la faute qu'il commet, causant son expulsion à la 18ᵉ minute. C'est son pire souvenir, pourtant il n'y est pour rien. Il est expulsé. Nous jouons une finale de Ligue des Champions et nous nous retrouvons au début du match à 10 contre 11. Il faut prendre des décisions difficiles et rapides. J'ai remplacé ainsi Robert Pirès à la 20ᵉ minute par le gardien Manuel Almunia et je sais que ça a provoqué l'incompréhension et la colère de Robert mais la situation l'exigeait. Il allait falloir défendre et contre-attaquer. Il avait 32 ans, il sortait d'une lourde opération et, même s'il était toujours un joueur exceptionnel, il n'était plus le Pirès de 2002. Si cruel cela fût-il et cela le fut, je devais le faire. Et j'ai dû prendre dans l'instant cette décision, parce que dans notre métier, il faut réagir vite. Malgré notre infériorité numérique, sur une passe de Thierry Henry, Sol Campbell ouvre le score. Mais en deuxième mi-temps Samuel Eto'o puis Juliano Belletti marquent et nous perdons. C'est un souvenir terrible et jusqu'à aujourd'hui une très grande frustration. Bien sûr cela a contribué à marquer cette année-là, avec les départs de certains joueurs, le changement de stade, la fin d'une époque.

Une victoire en Ligue des champions aurait terminé à merveille l'aventure des Invincibles, récompensant les efforts de tous les joueurs et les efforts du club pendant la construction du nouveau stade. C'est une aventure inachevée. Arsenal ne l'a encore jamais fait mais je sais que ce club est en position de le faire : il a renoué avec la meilleure des situations financières, il doit maintenant prendre les meilleures décisions concernant la partie technique. Si le regret est la distance entre ce que j'aurais souhaité et ce qui est arrivé, ce regret est évidemment énorme dans ce cas-là. Mais je sais aujourd'hui que pour ne pas avoir de regrets, il aurait fallu gagner le championnat et toutes les compétitions tous les ans. On regrette un joueur plutôt qu'un autre, une décision, une erreur technique mal corrigée, une remarque que j'aurais dû faire à la mi-temps et que je n'ai pas faite. J'ai encore en moi aujourd'hui ce souci d'avoir la capacité de me remettre en question pour progresser. Cette finale a été une vraie blessure personnelle. Nous rentrons en 2006 dans notre nouveau stade et il faut laisser cette défaite derrière nous et relever de nombreux défis. Cela demande du courage et un engagement total de tous.

Le 19 août 2006, nous inaugurons par le premier match de la saison contre Aston Villa le stade de l'Emirates. C'est une nouvelle ère.

Je sais que nous sommes pieds et poings liés financièrement. Et que nous allons être obligés à la fois de réduire nos dépenses, de faire attention au moindre centime et d'affronter dans le même temps des clubs qui ont encore davantage de moyens qu'ils n'en avaient auparavant. C'est la période la plus sensible, la plus dangereuse, qui expose le plus le club. Pendant sept ans, il faut penser à survivre, il faut gérer le club avec un maximum de rigueur et tirer le meilleur de l'équipe. C'est pendant cette période paradoxalement, alors que les résultats sont moins évidents, que je travaille le plus, en mettant de côté mes ambitions personnelles puisqu'on me propose de nombreux autres clubs et que je décline toutes les offres, même les plus belles. La Juventus, le Real Madrid, le PSG me contactent, le Bayern, l'équipe de France, l'équipe d'Angleterre... Avec le recul, je suis globalement content d'avoir su dire non à plus de gloire, à plus d'argent et d'avoir été guidé uniquement par l'idée de servir le club avec loyauté pendant cette période. Et puis surtout, et les supporters d'Arsenal peuvent comprendre cela : je m'étais tricoté une âme en rouge et blanc.

En 2007-2008, nous sommes premiers pendant les trois quarts de la saison du championnat d'Angleterre et nous craquons à la fin en faisant un nul à Birmingham. Nous terminons avec 83 points derrière Manchester et Chelsea.

Pour rembourser l'Emirates il fallait qu'on soit trois fois sur cinq en Ligue des champions et que nous fassions en moyenne 54 000 spectateurs par match sur l'année. On a été cinq fois sur cinq en Ligue des champions et on a fait 60 000 spectateurs en moyenne. Certaines années, en avril, quand je pensais qu'on n'y arriverait pas, qu'on ne serait pas qualifiés, je ne dormais plus, j'étais tendu à l'extrême et lorsqu'on arrivait au dernier match de la saison, je chantais comme si on avait gagné le championnat. Je savais mieux que quiconque à quel point c'était crucial pour le club et je m'étais promis à moi-même d'y arriver.

Nous avons réussi à nous qualifier vingt fois de façon consécutive pour la Ligue des champions. Seuls le Real et Manchester United l'ont réalisé entre 1997 et 2017. Il est vrai que ce fut parfois juste, que cela se décidait sur les derniers matchs. Mais nous avons été trois fois champions, cinq fois deuxièmes, six fois troisièmes et six fois quatrièmes, ce qui était la preuve d'une remarquable constance dans les résultats. Petit à petit, année après année on a réussi à rembourser et à construire de belles équipes. Il nous manquait juste l'attractivité financière et l'expérience des grands joueurs. Et si paradoxal que cela puisse être, notamment pour les journalistes qui se sont focalisés sur la période des Invincibles, c'étaient de merveilleuses années. Les joueurs étaient jeunes, très jeunes, comme Fàbregas que j'avais fait débuter à 16 ans, Jack Wilshere qui a débuté dans l'équipe en 2008, le plus jeune joueur de tous les temps à jouer à Arsenal, ou Nasri qui lui aussi débute dans l'équipe en 2008 alors qu'il a 21 ans. Ils étaient cependant entourés de joueurs très talentueux et expérimentés comme Hleb, Gallas, Rosický.

Un joueur n'est pas le même et n'offre pas la même chose à une équipe entre 16 et 22 ans qu'entre 24 et 28 ans. C'est ce niveau de maturité, d'expérience, de sérénité qui nous a manqué dans les grands matchs. On les perdait sur de petits détails qui sont toujours liés à l'expérience. Pour construire le club de demain, repartir sur des bases saines, on était obligés d'en passer par là. Avec notre endettement colossal vis-à-vis des banques, on pouvait moins acheter des joueurs : c'est pour cela qu'on s'est tournés vers les jeunes alors que les autres clubs qui avaient des ressources artificielles, qui vivaient avec le sponsoring extérieur et avaient de très gros moyens comme Chelsea, Manchester United et Manchester City pouvaient acheter qui ils voulaient et souvent même nos joueurs. Là encore c'était difficile mais je m'étais préparé à cela : il fallait respecter notre budget coûte que coûte, respecter nos engagements financiers. Notre budget était rigoureux et, lorsque nous achetions un joueur, nous négociions ardemment le montant du salaire. Nous devions faire en sorte que la masse salariale ne dépasse pas 50 % du budget du club. On pouvait seulement utiliser l'argent dégagé par les transferts quand nous-mêmes vendions bien. Et c'était tout. Mais avec moins de moyens on est restés efficaces et pour moi c'était l'essentiel : dans un championnat dur on était toujours dans le top 4. Avec le recul, ces restrictions financières, face à des clubs qui ne vivaient qu'à crédit, ce souci chevillé au corps de ne pas dépenser 200 quand on gagne 100, qui correspondait aussi à mon caractère, à ma philosophie, m'ont beaucoup appris. Et ça me semblait tellement juste : nous avions choisi un projet ambitieux de développement du club, il avait forcément des conséquences.

Dans ces moments de très grande intensité de travail, de résistance à la pression médiatique et à celle des supporters qui réclamaient les mêmes résultats qu'avant sans forcément voir ce que nous obtenions de façon si belle, la tête haute, je dois faire face à un autre changement qui m'affecte considérablement. Le départ de mon grand ami David Dein. C'est lui qui m'avait recruté, c'est avec lui que j'avais formé un tandem incroyable, respectueux des rôles de chacun, très complémentaires, tout en développant une relation unique. En voulant faire entrer au board l'Américain Stan Kroenke, principal actionnaire et directeur d'Arsenal depuis 2008, David était en conflit avec les dirigeants.

David est un innovateur, un homme d'une ténacité incroyable, avec des qualités de générosité, de sociabilité hors du commun. Lorsqu'il s'en va, il vend à l'oligarque russe Alicher Ousmanov ses actions.

Avec le départ de David Dein, j'ai senti que le club allait changer, que l'esprit d'Arsenal perdurerait toujours mais qu'avec les évolutions du football et le changement de propriétaires, si ma vie d'entraîneur serait la même, celle du manager serait bien différente. Évidemment avec David nous avons continué à nous voir beaucoup. Et lui en s'éloignant du club ne s'est pas éloigné du football. Il dîne souvent avec les anciens joueurs, il va aux matchs, il continue à servir ce sport avec toute sa passion. Il a ainsi créé une association et il intervient dans les écoles et les prisons. Il est à l'origine d'un programme extraordinaire : des intervenants, joueurs, entraîneurs, membres du staff de clubs de Premier League interviennent dans des prisons deux fois par semaine et ce programme s'est développé au point de concerner aujourd'hui près de 107 prisons en Angleterre.

Lorsque je suis arrivé, la famille Hill-Wood était propriétaire du club de père en fils. Peter n'avait pas la majorité. Deux autres familles étaient actionnaires du club : Danny Fiszman, qui avait rejoint le board de direction en 1992, et la famille Carr. Et puis il y avait tous ces supporters qui parfois possédaient une ou deux actions, que je croisais dans la rue et qui m'en parlaient comme de leur maison, leur famille. Quand je suis arrivé, l'action valait 800 livres, puis elle n'a cessé de prendre de la valeur et quand je suis parti elle était à 17 000 livres. Et elle a pris encore de la valeur avec l'augmentation des bénéfices du club et la réduction de la dette accumulée avec la construction du nouveau stade. Je m'étais battu pour cette situation saine et nous y étions arrivés.

C'est le moment où le club possédé par des familles anglaises ouvre considérablement son capital à l'étranger. L'entrepreneur américain Stan Kroenke va progressivement devenir l'actionnaire principal du club, racheter les parts de Danny Fiszman qui en 2010 a annoncé au board qu'il était malade et qu'il démissionnait. La rivalité entre Ousmanov, Kroenke et les actionnaires anglais traditionnels va être intense. Et c'est au fil des ans l'Américain qui en sortira gagnant, Ousmanov lui vendant ses parts en 2018 : il devient alors actionnaire d'Arsenal à 97 %. C'est aussi la période où Arsenal embauche Ivan Gazidis avec pour mission d'installer le club dans ses structures futures.

À la fin de la saison, je pars en vacances avec ma famille en Italie mais je me sens sans ressort et épuisé. J'ai l'impression d'être pris en tenaille entre ma loyauté pour le club, tout ce que nous devions continuer à faire et mon amitié pour David, qui a toujours été un soutien indéfectible pour moi. On avait connu tellement d'épreuves, d'aventures, il avait été si présent à mon arrivée, lors de nos victoires, dans la décision de construire un nouveau stade, dans la professionnalisation de la Ligue.

Ces vacances sont encore un souvenir très douloureux, je suis exténué et je me demande à quoi mène ce travail acharné. David m'a demandé de rester, de ne penser qu'à l'intérêt du club mais ça ne suffit pas à m'apaiser. Je fais un burn-out. Et c'est Yann Rougier qui m'aide à tenir bon. J'étais comme un samouraï ayant tout donné à sa passion. Et je donnais tout : quand j'allais mal je le faisais aussi à fond. Je n'avais pas beaucoup de mesure. J'avais appris à me protéger en étant dans le contrôle mais à l'intérieur c'était la tempête. Et la tempête cet été-là surgissait.

À mon retour à Arsenal, cet épuisement physique et psychologique est derrière moi, j'ai vite récupéré et je n'ai pas perdu ma passion, au contraire. Mais j'ai davantage conscience encore qu'elle a un prix pour les autres et pour moi, un prix accepté et voulu mais qui n'empêche pas de craquer, de douter.

Pendant ces années fluctuantes à la tête du club, avec des dissensions, des rivalités, je tâche de me tenir à l'écart, de me concentrer chaque jour sur le prochain match, sur l'importance de construire et reconstruire l'équipe.

Arsenal est alors le reflet de ce qui se joue dans le monde entier : la structure du football évolue, et on accompagne le mouvement. Peu à peu tous les clubs sont achetés par des propriétaires étrangers et la Premier League n'appartient plus aux Anglais. En 1996, j'étais le premier entraîneur étranger et on se souvient tous des réactions que cela a provoqué. Aujourd'hui tous les entraîneurs le sont, tout comme les propriétaires. Seul le public n'a pas changé, le supporter. On est progressivement passé du propriétaire supporter au propriétaire investisseur. Avec les nouvelles règles que cela a imposées : tous les clubs, et Arsenal n'a pas échappé à la règle, sont devenus des entreprises. La dimension humaine se perd ou du moins se réduit. L'organisation devient plus lourde et la partie technique – l'équipe, les joueurs, le centre d'entraînement – devient plus petite au sein d'une entreprise où les parties commerciales, marketing, médiatiques, prennent plus de place. Lorsque j'ai commencé, le club comptait 70-80 salariés : on est passé à 200, 400, jusqu'à 700 salariés lorsque j'ai quitté Arsenal en 2018. Au centre de formation ils sont plus de 200.

Quand un club, une organisation grossit trop, le risque est de perdre la culture de la performance, pour penser souvent à la préservation de ses intérêts personnels et de figer les choses. Avec comme conséquences de ne pas permettre une vraie innovation, de vraies prises de risque.

Le temps disponible pour se consacrer à la technique pure se réduit. Ma frustration a grandi, comme si j'étais empêché de faire mon travail tout en le faisant. Les joueurs et moi nous étions de plus en plus sollicités, même si j'essayais de toujours me garder des moments de solitude chaque jour et pour l'équipe de garder des lieux clos, où ils pouvaient se retrouver entre eux. Il ne s'agit plus seulement de qui on est mais de l'image qu'on veut promouvoir, ce qui a forcément des répercussions sur la vie d'un club, d'un joueur. David Beckham est l'un des premiers à devenir une icône médiatique, les clubs ont suivi et ont mis en valeur chacun la leur.

Les investisseurs lorsqu'ils achètent un club veulent qu'il marche bien, qu'il soit rentable et évidemment leurs priorités ne sont pas les mêmes que celles d'un propriétaire supporter avec une gestion plus familiale.

Dans le même temps c'est le football en général qui prend un tournant plus commercial : les entreprises régionales deviennent mondiales, l'image mondiale du foot comme business a pris le pas sur l'intérêt sportif, les États-Unis et la Chine commencent à peser énormément, et surtout les recettes télévisées explosent et bouleversent tout. En 2019, les recettes télé pour Arsenal étaient de 180 millions de livres. Le remboursement de la dette du stade est de 15 millions par an : c'est dire à quel point ça ne représente plus rien.

Les droits domestiques de la télévision sont arrivés à leur maximum et ce sont les droits internationaux qui se sont mis à exploser. L'Asie, les États-Unis ont acheté les droits de la Premier League. Il a fallu aussi soigner son image internationale et se déplacer dans le monde entier. J'ai fait ainsi des conférences à Pékin, à l'université, dans des amphithéâtres remplis d'étudiants aux couleurs d'Arsenal qui connaissaient mieux que moi l'histoire et la vie du club et qui pouvaient me dire quelle était ma marque de thé préférée. Seuls un, deux, avaient été à l'Emirates mais ils étaient des supporters passionnés.

Lorsqu'on a géré une telle structure, qu'on s'occupe de beaucoup de choses, on a le sentiment de courir sans cesse et on est très insatisfait. Avec la création du département des ressources humaines, tout devient plus administratif, et bien sûr pour un entraîneur comme moi qui a fait son premier recrutement de joueur à Orange sur un parking d'autoroute, qui prend ses décisions dans l'instant et par instinct, parfois ça me plaît moins. Un autre exemple qui montre combien le métier a changé : le monde des transferts. Aujourd'hui tout est très organisé avec des sommes colossales en jeu et des règles très précises. Mais avant les contrats pouvaient se faire de façon plus improvisée. C'est David Dein qui s'occupait des transferts avec moi. Et nous avons dû faire face à des situations ubuesques.

J'avais ainsi acheté Sylvinho au club brésilien Corinthians en 1999. Et puis en 2000, pour remplacer Emmanuel Petit, j'avais voulu faire venir du même club Edu. Un jour Sylvinho m'appelle : « Edu est en prison ! » Il avait été retenu à son arrivée à l'aéroport de Londres avec un faux passeport portugais et aussitôt renvoyé au Brésil. On renégocie son contrat, il se fait de vrais papiers et il peut enfin venir en 2001 à Arsenal. Sylvinho ayant été contrôlé avec Edu, son passeport devait être forcément régulier. Mais au fond de moi j'avais toujours un doute. Et lorsqu'on passait les postes de police aux aéroports je le plaçais à côté de moi. Il est toujours passé sans problème. À la fin de la saison, on a vendu Sylvinho au club espagnol Celta Vigo et il a enchaîné avec une carrière à Barcelone.

Être entraîneur c'était vraiment tout faire et dans toutes sortes de situations.

Après le départ de David, on devient une équipe de trois avec Ivan Gazidis et Dick Law, venu me seconder. Et il a été très important pour moi. On a vécu ensemble la transformation du marché des transferts. Et puis grâce au fair-play financier mis en place en 2010 qui empêchait les clubs de dépenser l'argent qu'ils n'avaient pas, on a pu davantage jouer à armes égales avec les autres clubs.

Pendant toutes ces années, je veille à une chose : que l'esprit d'Arsenal dans la partie technique qui me tient le plus à cœur ne change pas. Et dans cette partie ce qu'il faut pendant ces années c'est affronter des équipes très fortes avec des joueurs extraordinaires, lutter tout le temps, former la relève, jongler, combattre à mort tous les ans. Et ça, ça me plaira toujours. C'est dans ces années-là aussi que nous sentons l'importance de maintenir l'esprit du club face aux changements et de former une très jeune génération. Elle a de très fortes qualités mais certains n'ont pas le niveau mental pour jouer à Arsenal. C'est le club qui les porte et non l'inverse. Beaucoup en partant ont disparu de la circulation du haut niveau. Pour consolider nos valeurs et renforcer le collectif, nous mettions en place tous ensemble une sorte de constitution écrite avant le début de chaque saison. Nous répartissions les joueurs par groupes de cinq et nous leur faisions écrire ce qui leur semblait important dans leur façon de jouer, de se comporter. On sait bien que le rapport au temps, le rapport au futur, la politesse, le respect pouvaient varier en fonction de l'éducation, des cultures. En écrivant cette constitution avec tout le club chaque saison, on avait en tête nos valeurs communes, les plus partagées, on clarifiait ce qu'on attendait de chacun et on gagnait en unité.

J'avais ainsi formé des joueurs qui devaient prendre la relève de la magnifique génération des Invincibles. Nous avions des jeunes joueurs extraordinaires comme Robin van Persie, Cesc Fàbregas, Samir Nasri, Emmanuel Eboué, Alex Song, Gallas, Hleb, Rosický, Laurent Koscielny. En 2010, je fais venir Laurent de Lorient. Il aura une carrière ascendante qui le propulsera en équipe de France.

Ces joueurs ont développé des idées inté-ressantes, avec la même qualité de jeu que leurs aînés, avec un vrai talent, mais nous avions aussi des adversaires de grande valeur et nous manquions de maturité dans les situa-tions décisives. Ces années sans titre, Chelsea, Manchester City, Manchester United étaient plus forts, mais on arrivait toujours à s'im-miscer grâce à ces joueurs et on était toujours dans les quatre premiers d'un championnat si difficile. Avec le recul, je sais que ce sont les Invincibles qui resteront dans les mémoires et pourtant, de mon point de vue, ce que ces joueurs ont réalisé après était difficile. On est dans le top 4, on se qualifie en Ligue des cham-pions, on sort des groupes, on reste équilibré

sur notre budget. Ces années-là sont passionnantes et fortes. On n'avait plus la même solidité défensive qu'avant, l'efficacité, mais le
jeu était beau et même nos adversaires nous
le reconnaissaient. Ces joueurs m'ont régalé.
Alors quand je sentais leur envie de partir pour
avoir les titres qu'ils ne pouvaient pas conquérir
avec nous, c'était douloureux : plus dur encore
que pour Henry, Vieira, Pirès. Ces joueurs-là
partaient après la trentaine, après nous avoir
tout donné. Nous entrons dans une période où
les joueurs partent plus tôt, entre 22 et 25 ans.
C'est comme si nous étions fauchés avant la
récolte. Mais les salaires offerts par nos concur-
rents sont énormes et on ne peut pas lutter avec
eux. En 2011, deux hommes forts de l'équipe
nous manquent. Samir Nasri part à Manchester
City. Et Cesc Fàbregas alors capitaine de
l'équipe au Barça dont il est issu. Il était difficile de laisser partir des joueurs sur lesquels on
avait investi du temps et de l'énergie.

L'année d'après, en 2012, c'est van Persie
qui est parti à Manchester United. Je l'avais
acheté en 2004 au Feyenoord Rotterdam où il
jouait en réserve. Il avait besoin de progresser,
de s'aguerrir. Un ami en Hollande me l'avait
recommandé, ainsi que Damien Comolli qui

était entraîneur des moins de 16 ans à l'AS Monaco en 1992 et qui est devenu notre recruteur pour Arsenal entre 1998 et 2004. Je fais passer à van Persie des tests techniques dont les résultats ne sont pas extraordinaires. Surtout il échoue à un test d'effort. Je discute avec lui et dans la discussion il montre une telle passion pour le jeu, une finesse d'analyse, une **capacité** à pointer ses faiblesses et ses forces que je décide de le prendre. Au début il est un peu arrogant, un peu m'as-tu-vu dans son jeu et on a beaucoup de frictions. C'est tout ce que je ne veux pas pour l'équipe. Sa relation avec Thierry Henry est difficile, ils ont des personnalités tellement différentes. À l'entraînement, je l'incite à simplifier son jeu. Il peut compter sur un toucher de balle extraordinaire et il progresse à pas de géant. C'est un joueur racé, un artiste. Il a une classe folle et pour moi c'est encore un joueur un peu sous-estimé. En 2011, en 8ᵉ de finale de la Ligue des champions, face au Barça, il est très injustement expulsé par l'arbitre pour avoir tiré au but alors qu'il venait de siffler un hors-jeu. Ça nous a tous marqués. Au moment de son expulsion il y avait 1-1. Le Barça a gagné 3 à 1.

J'avais placé van Persie avant-centre avec Fàbregas et Nasri et il a fait des matchs exceptionnels, d'une qualité technique incroyable. En 2008-2009 il avait été sacré meilleur passeur de Premier League. Il se retrouve souvent ces années-là, et en particulier 2010-2011, avec le maillot du numéro 10 laissé par Dennis Bergkamp, sur le podium des meilleurs buteurs de Premier League. Et il réussit l'exploit en 2010-2011 de marquer 35 buts en 36 matchs du championnat anglais, dépassant le record de Thierry Henry. En 2012, il m'annonce son intention de ne pas prolonger son contrat. Il est courtisé par tous les grands clubs. Je le vends à Manchester United. Les supporters m'en ont voulu mais on ne pouvait pas s'aligner. Je réussis à négocier son départ pour 24 millions de livres, ce qui était énorme à l'époque pour une année de contrat restant. Je n'ai considéré que l'intérêt du club. Les relations avec Alex Ferguson et Manchester s'étaient améliorées mais tout transfert est une partie de poker courtoise où il ne faut rien lâcher. À Manchester, les six premiers mois pour van Persie sont magnifiques : il met l'équipe sur la voie du titre et c'est d'autant plus difficile pour nous. Mais au bout de deux ans alors qu'il avait signé pour quatre ans, il est blessé et Ferguson le vend au club turc de Fenerbahçe. Il m'a appelé parce qu'il voulait revenir mais c'était impossible : il était à la fin de sa carrière et on investissait sur des jeunes.

Alex Song nous quitte la même année que van Persie pour le Barça : lui aussi voulait partir, il avait perdu son appétit de jouer avec nous.

Mais ces joueurs resteront pour moi des joueurs d'Arsenal, des hommes qui ont pu jouer le foot qui leur ressemblait, des hommes qui ont connu ensemble leurs plus belles années de football.

Lorsque la différence de potentiel financier est trop grande entre les clubs, les joueurs lorsqu'ils ont une bonne période sont incités à rêver d'un gros contrat ailleurs et ont par conséquent tendance à privilégier leur intérêt individuel ou à moins s'engager pour leur club.

Pendant ces années où nous ne gagnons pas le Championnat, la victoire nous échappe pour un rien, une faiblesse, un manque d'attention, de maturité, un peu d'égoïsme parfois, mais nous restons à la lutte avec les meilleurs. Il faut continuer à penser au renouveau de l'équipe, aux joueurs qui pourront lui donner un souffle nouveau tout en conservant l'esprit du club, sa spécificité, son art. Nous recrutons. En 2012, Olivier Giroud arrive ainsi à Arsenal. Il vient de Montpellier où ses résultats ont fait de lui le meilleur buteur du championnat de France. Il a 26 ans et il a aussi fait l'année d'avant ses débuts en équipe de France. Il mérite un très grand respect parce que dans l'adversité on peut toujours compter sur lui. Avec le recul, il aura fait une très grande carrière.

Un autre joueur important vient nous rejoindre en 2012 : Santi Cazorla. Je le prends à Malaga après deux mois de négociation. C'est un joueur sensationnel. Il arrive avec le sourire, il est toujours heureux avec un ballon et il a une technique incroyable qui sert beaucoup l'équipe. Je l'avais repéré grâce à mon recruteur espagnol Francis Caggio et à Pirès, avec qui Santi avait joué à Villarreal. Je l'avais vu jouer et j'avais compris à quel point il avait le jeu dans le sang. Personne ne pouvait le battre dans les combats techniques. Il était droitier mais il avait un jeu des deux pieds remarquable. Il a considérablement haussé le niveau technique de l'équipe en milieu de terrain.

À partir de 2013, nous sortons la tête de l'eau sur un plan financier. C'est là que nous réalisons l'un des transferts les plus emblématiques : Mesut Özil. C'est le plus gros transfert que nous ayons fait depuis des années. J'avais repéré ce jeune joueur qui évoluait dans le club de Brême et j'avais failli le recruter avant le Real. Il avait choisi le club espagnol et il y est resté trois ans. J'adorais son jeu. Il venait d'un championnat espagnol plus technique mais moins rugueux physiquement que le championnat anglais. Ça lui a demandé de s'adapter. Dans notre équipe il s'intègre facilement, il arrive à bien s'exprimer techniquement, il entre dans un cadre qui lui convient et il est heureux. En 2013, avec lui, on fait un beau début de saison, on prend la tête du championnat pendant plusieurs journées. La saison est contrastée pour Özil, les journalistes, les supporters l'attendent au tournant, on finit le championnat quatrièmes, on se qualifie pour la Ligue des champions et on gagne surtout la coupe d'Angleterre en 2014, un trophée attendu qui termine magnifiquement la saison à Wembley.

En 2014 nous cherchons à faire venir Suárez. Nous avions un accord avec son agent et le joueur. Mais l'agent prétendait qu'il y avait une clause : avec une offre au-dessus de 40 millions de livres, Liverpool aurait été obligé de laisser partir le joueur. Mais c'est grâce à une indiscrétion à l'intérieur du club de Liverpool que j'apprends que cette clause n'a jamais existé. Pour le vérifier, nous offrons 40 millions et une livres. Cela a pu paraître grotesque, j'en conviens. Mais Liverpool ne voulait pas vendre Suárez, ils avaient les moyens de le garder et une offre du Barça se profilait déjà.

Dans les années 2014, 2015, 2017, nous gagnons trois fois la coupe d'Angleterre et en 2016 nous perdons le championnat en finissant deuxième derrière Leicester, ce qui a été ressenti comme un échec mais il faut dire que Leicester n'avait perdu que trois matchs dans la saison dont deux contre Arsenal. Malheureusement, nous avions perdu Cazorla en septembre et notre assise technique en avait été affectée.

Ces années-là où l'on doit tant se battre pour réaliser nos objectifs, où il faut former, les parties administratives, commerciales et média se développent à l'intérieur du club. L'effectif technique et scientifique autour de l'équipe s'agrandit aussi. Il faut lutter pour garder la clarté de notre organisation et la spécificité de l'esprit du club.

Je considère les transferts comme faisant partie intégrante du travail d'un manager et le succès de la saison dépend en grande partie de la qualité du travail effectué pendant cette période des transferts. Je milite par contre pour la suppression des transferts à mi-saison car cela déstabilise les joueurs pendant la saison et chaque difficulté est alors l'occasion pour eux de se demander s'ils ne seraient pas mieux ailleurs.

La négociation est un art difficile qui demande un peu d'avoir les qualités d'un joueur de poker.

Chaque transfert se fait dans un contexte émotionnel fort. Je me souviens d'une négociation en pleine Coupe du monde en 98. Nous avions rendez-vous avec West Ham et Ian Wright pour son transfert. Nous ne savions pas encore qu'Aimé Jacquet et Zidane nous mèneraient jusqu'au ciel. À table, sur la terrasse ensoleillée d'un restaurant, il y a Ian Wright, les dirigeants de West Ham, David

Dein, sa fille Sasha et moi. Après les amabilités d'usage, nous commençons à négocier. Sasha, très discrète mais dont l'idole est Ian Wright, comprend petit à petit que nous sommes en train de vendre son joueur préféré. Sans dire un mot, elle continue de manger mais ses larmes coulent doucement dans son assiette. Cela symbolise bien ce qu'est le transfert des joueurs pour les supporters : parfois des douleurs intenses mais aussi des joies et des espoirs incroyables.

Dans le monde du football et en particulier pendant la période des transferts, être une proie facile encourage les autres à vous manger tout cru.

Pendant ces années à Arsenal, j'ai participé à 450 transferts. J'ai toujours été guidé par la volonté de conclure dans la plus grande simplicité possible. Avec le recul, ce fut une bonne chose : il n'y a eu aucun accroc juridique pendant vingt-deux ans.

Ces transferts, les nôtres, comme ceux des autres clubs, sont toujours au cœur de grands débats au sujet de l'argent : l'argent d'un club, l'argent dépensé pour un joueur, le salaire des joueurs et des entraîneurs, la façon dont un entraîneur a la réputation d'être très dépensier ou au contraire de veiller à son budget. L'argent est toujours une question de fond. On m'a souvent interrogé sur les salaires de nos joueurs : jusqu'à quel point un salaire est-il décent ? J'ai toujours répondu de la même manière : tant que ce salaire ne déséquilibre pas le budget du club. Pour autant, je comprends à certains égards que ces salaires puissent choquer. C'est pour cela que je considère que les clubs doivent être entièrement privés et ne recevoir aucune subvention publique. Les salaires ne sont justifiables dans le foot que si les rentrées équilibrent les sorties. La richesse du football vient aujourd'hui des recettes de la télévision. Entre mon arrivée à Arsenal en 1996 et mon départ du club en 2018, elles ont été multipliées par huit. C'est ce qui explique l'augmentation des salaires et tout indique que ces salaires vont continuer à augmenter.

J'ai sans doute un rapport particulier à l'argent du fait de mon caractère et de mon histoire. J'ai démarré avec rien, des bouts de ficelles, en me déplaçant seul pour acheter et négocier un par un des ballons, en dormant la veille des matchs dans des lits défoncés ou en me déplaçant avec mon équipe dans des couchettes de trains de nuit en deuxième classe, et puis j'ai été inondé de ballons, j'ai dormi dans de magnifiques hôtels et pris de beaux avions. Le décor a changé mais au fond ce qui rend la nuit ou le voyage agréables ce n'est pas le confort, c'est de gagner le match.

Si l'argent et non la passion ou la fidélité avait été ma priorité, j'aurais pu gagner deux ou trois fois plus en quittant Arsenal et en passant de club en club. J'ai toujours pensé avant tout à mes responsabilités et à l'avenir de mon club ; je ne voulais pas qu'on puisse dire que j'avais eu une mauvaise gestion. Je voulais l'équilibre avant tout. Aujourd'hui Arsenal est dans une situation financière saine et forte. On a remboursé sans apport extérieur, en vendant bien nos meilleurs joueurs, en faisant attention. La presse, les supporters, me reprochaient parfois mes transferts mais je remboursais notre dette. On a toujours très bien vendu. Et c'est ainsi que j'ai bâti ma réputation sur le marché des transferts : grâce à l'intuition, l'expérience, mes agents qui cherchaient des joueurs qui nous correspondaient, et grâce à la situation du club et à mon caractère qui nous obligeaient à être justes, fermes. On a vécu à l'heure du fair-play financier avant qu'il ne se mette en place et on a activement milité pour. Notre seul moyen de lutter à armes égales avec les autres clubs c'était qu'ils arrêtent d'investir l'argent qu'ils n'avaient pas. Le fair-play financier a permis une fois qu'il a été mis en place de rendre la compétition entre les clubs plus juste, plus saine, mais aujourd'hui je militerais pour des règles moins strictes sur l'investissement dans le football et un meilleur contrôle de gestion dans les clubs. Un assouplissement des règles de ce fair-play financier serait souhaitable pour faire évoluer les clubs, ne pas figer une situation avec des clubs très bons et très puissants et d'autres toujours limités sans possibilité d'investissement. Sinon on ne permet pas un changement du rapport de forces. Il faut du temps et de l'argent pour transformer un club. Ceux qui sont hiérarchiquement forts aujourd'hui le sont parce qu'ils ont investi quand le fair-play financier n'existait pas.

Et lorsqu'on pense aux transferts et à la question de l'argent dans le foot, on pense aux agents. Lorsque j'ai commencé à jouer, les agents de joueurs et d'entraîneurs n'existaient pas. J'ai tenu bon, parce que ça correspondait à mon caractère, à ma liberté, et je n'ai jamais eu d'agent. Aujourd'hui tout le monde en a un. J'ai eu un conseiller financier, Léon Angel qui m'a accompagné depuis le début, et un agent commercial et d'image, Serge Kotchounian. Au fil des années, il est devenu davantage : un homme en qui j'ai une entière confiance. Mais pour mon métier, j'ai toujours voulu négocier seul mes contrats. La télévision, c'était un monde différent, et Serge a été et est toujours précieux pour me permettre de faire des choix et de m'y sentir libre. Nous nous étions rencontrés à Monaco et on est devenus très proches. Il m'accompagne partout.

Les agents sont là pour aider les joueurs à négocier leurs contrats. L'illogisme de la situation c'est que ce sont les clubs qui les paient, pas leurs joueurs. Mais c'est ainsi que ça a toujours fonctionné et ça crée forcément une situation inflationniste, de la surenchère. Quand j'étais à Arsenal nous limitions les commissions d'agent à 5 % du salaire annuel du joueur, mais petit à petit ces pourcentages ont augmenté. On est monté à 7 ou 8 % et aujourd'hui les clubs paient 10 %. Les agents comme les joueurs deviennent plus riches et plus puissants. Leur situation est variée comme dans toutes les professions : il y a les très bons qui savent conseiller, qui sont des soutiens précieux du joueur, ceux qui ne pensent qu'à leurs intérêts et ceux qui sont dangereux au point de menacer leurs joueurs. C'est une profession floue, fluctuante, diverse qui suit les évolutions du football. Il y a ceux qui vivent très bien et d'autres qui dépendent d'un joueur et sont fragilisés parce qu'on sait à quel point tout est fugace et qu'ils peuvent être remerciés du jour au lendemain, à cause d'un différend, d'un membre de la famille qui veut prendre leur place, d'un agent plus fort qui va profiter de ce qu'ils ont fait avant. C'est un métier difficile et ingrat, et tout l'art du transfert, du marché, pour un entraîneur c'est de se méfier, d'être ferme, de mesurer l'influence réelle de l'agent sur le joueur et d'essayer dans la mesure du possible de traiter avec ceux qui connaissent bien le monde du très haut niveau, qui savent le niveau d'exigence recherché, qui ont une capacité d'analyse forte. Un agent doit être capable de repérer un talent, de l'accompagner au mieux mais aussi de connaître la vie difficile, ingrate, monotone qui est celle des grands sportifs, une vie dirigée vers la performance, marquée par la répétition de rituels quotidiens. Je trouve, hélas, que le monde du foot est peuplé d'hommes qui n'ont qu'une connaissance superficielle du jeu et du très haut niveau. De faux spécialistes avec des avis tranchés et qui sont prêts à mentir à leur joueur pour les garder. Comme entraîneur, j'ai dû souvent batailler contre des agents qui disaient à leur joueur l'inverse de ce que je croyais bon : quand j'identifiais un manque, un défaut, une fatigue, une démobilisation. Et j'ai dû parfois prendre la décision radicale de me séparer de certains joueurs à cause de ça. Parce que le dialogue, le travail ne pouvaient plus être vrais, plus entendus correctement.

Discuter avec les agents, les connaître, les rencontrer sans cesse pendant la période de négociation, et puis pendant toute la durée du contrat de leurs joueurs, cela fait partie intégrante de l'emploi du temps d'un manager. Et un très bon agent aide le travail de l'entraîneur et du manager. Comme entraîneur j'instaurais une certaine distance avec le joueur, je ne m'occupais pas de sa vie privée, de ses sorties par exemple, de sa femme, sauf si le joueur me demandait un conseil ou une intervention. Ce qui était rare. L'entraîneur est là pour le jeu, pour le sport. Un agent n'a pas cette distance. Il est davantage impliqué. D'où son rôle crucial et son influence. Et c'est pour cela que j'ai toujours dit aux jeunes joueurs de bien s'entourer. Un joueur qui à 23 ans n'a pas fait le tri autour de lui, repéré les influences néfastes, les jalousies, ceux qui handicapent sa progression, un membre de sa famille trop présent, un conseiller qui n'est pas un spécialiste, est pour moi dans une situation difficile et ne pourra pas se maintenir au plus haut niveau. Moi qui n'ai jamais eu d'agent mais qui constate que les entraîneurs en ont tous aujourd'hui, j'ai toujours pensé que cette règle qui s'appliquait aux joueurs devait aussi s'appliquer aux entraîneurs : il faut bien s'entourer.

Un entraîneur doit avoir un entourage bien à lui. L'entraîneur vit dans un monde totalement incertain. Les résultats sont fragiles et sa valeur estimée varie de jour en jour. C'est difficile de rester droit et ferme sur ses principes quand les choses ne marchent pas comme on le veut. C'est pour cela qu'il faut créer une structure de combat autour de soi, des hommes solidaires, unis. J'avais ainsi Pat Rice, Boro, l'équipe Lewin des kinés, Steve Bould, Tony Colbert, Gerry Peyton, Sean O'Connor, Steve Braddock, Steve Rowley, tous remarquables et des médecins qui m'ont aidé tout au long de ma carrière : Crane, Beasley, O'Driscoll. Je suis toujours arrivé dans un club en essayant de m'entourer tout de suite de gens compétents qui connaissaient le club et sa culture. Aujourd'hui c'est un peu différent : les entraîneurs – comme les joueurs – viennent avec leur propre structure, des équipes toutes faites qui repartent avec eux, un groupe qui fonctionne comme un club à l'intérieur du club. Moi je n'ai jamais voulu ça. Cela fait partie de l'évolution du métier. L'entraîneur comme l'entourage doit travailler pour le club et j'ai eu la chance d'être engagé dans un processus à long terme qui me permettait de construire, d'avancer petit à petit avec des hommes en qui j'avais une totale confiance. Je savais cependant que j'étais in fine le seul responsable : l'entraîneur décide seul en prenant les avis de tous mais c'est son choix final qui compte et c'est à lui qu'on en veut. Avant chaque match il fabrique des mécontents, ceux qui ne jouent pas, et ceux-ci se sentent déçus, trahis, tristes. Ils peuvent se plaindre, se détacher de l'esprit de groupe et cela peut casser l'énergie de l'équipe. Être responsable, c'est passer à l'action et trancher. Il faut sans cesse réparer des relations distendues, avec les joueurs, les agents, les supporters. Et dans les moments difficiles pour le club, c'est un peu éprouvant mais c'est comme ça : c'est davantage vers ses adjoints, vers le club qu'on se tourne que vers l'entourage amical et amoureux.

En 2014, nous avons réussi le transfert d'Alexis Sánchez. Avec son agent et le Barça nous avions trouvé un accord après une saison magnifique du joueur dans le club espagnol, le deuxième du championnat cette année-là. C'est une bombe : il a une faim incroyable. Il est avant-centre mais il se déplace et il donne une belle énergie à l'équipe. C'est un footballeur sauvage avec une volonté extraordinaire, un caractère qui parfois le place à part dans l'équipe et qui fait de lui un homme passionné, résistant aux compromis. Il avait un caractère entier, revêche, avec un jeu si particulier.

En 2017, en huitième de finale contre le Bayern nous perdons lourdement à l'Emirates en jouant à 10. Je ne me doutais pas que c'était mon dernier match en tant qu'entraîneur d'Arsenal en Ligue des champions.

Pourtant, en 2017, on bat Chelsea qui est premier du championnat en finale de Coupe d'Angleterre, après avoir battu en demi-finale Manchester City. On finit pour la première fois en dehors du Top 4 en 21 ans avec 75 points.

Les jours à Arsenal sont plus difficiles. Les supporters sont impatients, le public se retourne contre moi et j'ai l'impression de retrouver le climat de mon arrivée dans le club. Je sais bien que vingt-deux ans à la tête d'un club c'est magnifique mais je n'étais pas préparé à partir, si ça n'avait tenu qu'à moi je serais resté jusqu'au bout de mon contrat. Je me disais que j'avais beaucoup donné, beaucoup sacrifié au club, et je ressentais l'hostilité d'une partie des fans et du board comme une injustice. J'avais l'impression d'avoir construit pierre après pierre le centre d'entraînement et le stade et que ma voiture chaque matin y allait toute seule. De ne plus pouvoir y aller du jour au lendemain, ne plus assister au match, ne plus pouvoir vivre ma passion pour le club, ça a été très dur, très brutal. Arsenal était pour moi une question de vie ou de mort et il y a eu sans lui des moments très solitaires, très douloureux.

J'ai managé Arsenal pendant 1 235 matchs officiels et mon dernier match à l'Emirates le 6 mai 2018 reste en ce sens un souvenir poignant. On jouait contre Burnley et on a gagné 5 à 0. On a fait une démonstration dont j'étais heureux bien sûr mais soudain en observant le match, la cérémonie d'adieux, en regardant les tribunes, je me suis souvenu de tout ce que nous avions vécu ensemble, d'un stade qui nous avait tant coûté, que nous avions construit en y mettant toutes nos forces. J'ai essayé de contenir mon émotion et j'y suis arrivé le mieux possible, j'ai invité des amis à dîner et j'ai essayé de me convaincre que la vie continuait.

Après des jours de tristesse, j'y suis arrivé. La succession a été difficile, je me suis tenu à l'écart volontairement, je devais m'effacer même s'il me semblait que ceux qui prenaient des décisions pour le club le connaissaient bien moins que moi.

On sait que dans le football il y a des périodes avec des équipes plus ou moins fortes. Les gens ont aimé ce club dans le monde entier parce que c'était davantage encore qu'une équipe : ils incarnaient une façon de faire vivre le sport, avec passion, justice et classe. Les valeurs que nous portions se retrouvaient dans nos résultats bien sûr mais aussi dans notre façon d'être, de nous comporter, de parler à chaque instant. Tout club porte une culture qui peut être momentanément oubliée mais elle resurgit toujours. Mikel Arteta vient de prendre les rênes de l'équipe et avec lui ces valeurs, cet esprit, ce style qui nous caractérisaient peuvent renaître. Lorsqu'il était joueur à Arsenal, il était passionné, déterminé, intelligent, avec la fougue et la détermination de sa jeunesse, et il ne les a pas perdues je crois. Pour moi il était un relais précieux auprès de l'équipe. Il a l'expérience, l'envie qu'il faut pour tenter de faire revivre l'âme du club. D'une manière générale je crois que c'est aux anciens joueurs, comme Pirès, comme Vieira, comme Henry, de prendre le pouvoir dans le football.

Il ne faut jamais revivre les histoires d'amour : Arsenal est une part essentielle de ma vie, de mon cœur, de ma mémoire, mais ce n'est pas à moi qu'il appartient désormais de penser à son avenir, de l'orienter. Une autre génération vient, elle ne peut pas refuser ce défi.

La FIFA m'en a offert un autre.

Avec le recul, je suis conscient d'avoir eu une chance énorme dans la vie, de travailler avec les meilleurs, de rencontrer les meilleurs de tous les sports ou de l'industrie. Le dénominateur commun à toute réussite est la rencontre d'une attitude, d'un talent et d'une chance venue de l'extérieur. Les gens de haut niveau ont aussi une analyse objective de leur performance en étant durs avec eux-mêmes. Un bon équilibre entre l'intelligence et la motivation endurante et une bonne dose d'humilité. L'humilité en sport, c'est savoir que la performance passée donne du crédit mais pas de privilèges. C'est la seule chose qui permette de maintenir un degré de vigilance indispensable à la constance.

Je sais aussi que je quitte pour l'instant un métier qui évolue sans cesse. L'entraîneur aujourd'hui est dans la persuasion. Son action doit s'exercer en se basant sur trois leviers :

— la responsabilisation,

— la personnalisation,

— l'ouverture,

par une communication claire et permanente, appuyée sur la science d'aujourd'hui pour la préparation et l'analyse de son métier. L'entraîneur ne doit pas oublier que pour emmener les autres vers les valeurs qu'il prône, il faut les incarner.

Il faut aussi que le joueur se rappelle que tout talent peut aller dans le mur s'il n'est pas accompagné d'effort. Avoir en soi une forme d'insatisfaction, qui est souvent une forme de tension, permet d'aller à un niveau plus élevé. Selon mon expérience, seuls les meilleurs font le travail dans tous les domaines et fournissent constamment les efforts nécessaires.

7.

Ma vie après Arsenal

Mon départ d'Arsenal a été un moment très difficile, douloureux.

Depuis toujours je vivais dans le football et pour le football.

Ma vie entière était rythmée par le foot. Le soir, quand je rentrais chez moi après une longue journée au club, je regardais encore des matchs, qui me renvoyaient au travail que j'allais pouvoir faire le lendemain avec l'équipe, comment j'allais régler certains problèmes, progresser. Quand j'allais me coucher, je repensais à ma journée et à celle du lendemain : les joueurs, les matchs, les entraînements hantaient mes nuits.

C'était un vrai sacerdoce, une vie de moine dédiée au football, une vie choisie avec passion, peut-être parfois aussi avec un peu de folie et de sacrifices.

Souvent j'imagine, après ma mort, les premiers mots échangés avec Dieu. Il me demandera ce que j'ai fait de ma vie, quel sens je lui ai donné. Je lui répondrais que j'ai essayé de gagner des matchs ! Probablement qu'il me dira, déçu : « C'est tout ? » Je tenterai de le convaincre que gagner des matchs est moins facile que ça n'en a l'air et que le foot a de l'importance dans la vie de millions de gens, qu'il crée des moments de partage, de joie et de tristesse énormes.

J'ai dû apprendre à vivre sans Arsenal, sans cette tension permanente, sans les joueurs que j'aimais, sans ce terrain, cette pelouse qui était mon adrénaline, ma drogue, ma raison de vivre. Mais je ne peux pas renoncer à ma passion, à l'aventure. Depuis que je suis enfant, j'ai toujours voulu une vie faite d'aventure humaine, de risques. Alors encore aujourd'hui, même à 70 ans, je ne sais pas ce que je vais faire demain. Je me partage entre Londres, Paris et Zurich, je me déplace beaucoup, je vis souvent dans les hôtels.
J'ai reçu et je reçois de nombreuses propositions qui pourraient me ramener à la compéti-

tion, au terrain, à l'action. Et je suis toujours touché de croiser dans la rue des fans, des supporters qui me demandent quel est mon prochain club, jouant de pronostics.

C'est David Dean qui, le premier, m'a parlé de la FIFA et m'a amené à considérer leur offre. Il savait la tristesse qui était la mienne depuis que je n'étais plus à Arsenal. Depuis mon départ en mai 2018, on se voyait toutes les semaines pour échanger sur le club, son avenir. Nous parlions tout le temps de ce club que nous avons tant aimé et pour lequel nous avons tant fait. Qu'allait-il devenir ?

Nous étions tous deux confrontés à la même difficulté : ne plus pouvoir agir. C'est difficile à accepter pour des hommes qui ont passé leur vie à prendre des décisions, à passer à l'action. Mais il faut savoir céder sa place, l'accepter avec dignité et respect pour ceux qui vous succèdent.

David a été moins radical que moi. Il continue à aller aux matchs à l'Emirates. Moi, je les regarde à la télévision. Le stade que j'ai construit et dont je connais chaque secret, je ne peux plus y aller : il y a encore trop d'émotions. Pareil pour le centre d'entraînement qui était mon lieu favori, au milieu de la nature.

Je me tiens à l'écart du club mais ça ne m'empêche pas, comme tous les supporters, de continuer à le suivre avec passion et de m'interroger sur son évolution. Je me suis entièrement donné à lui, mon cœur, ma tête et mon corps, et même si je ne suis plus son entraîneur, mon cœur lui appartient toujours. Quand on aime Arsenal un jour, on l'aime pour toujours.

Bien sûr j'ai gardé des amis, des hommes qui me tiennent au courant, me racontent leurs vies et la vie du club mais quand on part on doit partir vraiment. On ne doit pas créer le flou. Ce n'est bon ni pour soi, ni pour le club. On est soit à l'intérieur, soit à l'extérieur. Aujourd'hui, après des mois difficiles, j'ai accepté l'idée que c'était terminé et je guette avec attention la nouvelle génération d'entraîneurs, celle des anciens joueurs qui prendront en main les destinées du club et lui redonneront l'esprit qu'ils ont connu.

En me parlant de la FIFA, David m'avait dit : « Il est temps que tu serves le football à présent ». Bien sûr il voulait dire : « que tu le serves d'une autre manière que lorsque tu étais entraîneur ». Il m'invitait à exercer une action plus globale, à penser différemment au football, à agir pour lui en mettant mon expérience, mes compétences et le savoir-faire accumulé pendant toutes ces années à son service d'une façon générale et non plus exclusivement pour un club.

Considérant cela et l'importance des enjeux et des nombreux défis à relever pour faire évoluer et promouvoir le football de façon mondiale, j'ai pris mes fonctions de Directeur du football mondial de la FIFA le 13 novembre 2019.

Avant d'accepter ce nouveau poste, j'ai réfléchi à ce que je pouvais proposer, à ce qui pour moi était essentiel, comment la FIFA pouvait agir pour proposer des réformes, pour penser le football de demain, bousculer les mentalités. J'avais des idées sur l'arbitrage, l'entraînement qui est le cœur de mon savoir, le management et la formation.

La FIFA a une puissance incroyable mais c'est une organisation gigantesque avec 211 fédérations, ce qui pourrait entraîner quelques lourdeurs dans la prise de décisions et l'action. Il me fallait avoir l'assurance de pouvoir agir efficacement en créant une structure à taille humaine avec des professionnels que je pourrai manager avec une grande autonomie.

C'est dorénavant cette mission qui occupe mes pensées.

La FIFA a trois grands rôles :
— dans l'organisation des compétitions,
— dans l'édiction des règles du football mondial,
— dans l'éducation et la pédagogie.

Par ma collaboration, j'aimerais contribuer à rendre efficace la mission éducative et pédagogique. La vision de mon action est assez claire et je l'ai partagée dès mon arrivée avec mon équipe.

Je voudrais créer un centre de recherche à Zurich sur le développement des méthodes d'enseignement du football, sur ses règles et le développement des mesures technologiques dans tous les pays. Ce centre de recherche profiterait à toutes les fédérations.

J'aimerais aussi me concentrer sur la formation des jeunes joueurs et faire en sorte que chaque enfant ait la même chance d'y arriver, qu'il soit en Europe ou en Afrique. Aujourd'hui ce n'est pas le cas. Il faut aussi plus de compétitions. La tâche est importante, et pour cela nous réfléchissons aujourd'hui à utiliser de nouvelles méthodes d'enseignement comme notamment un programme en ligne avec des entraînements en fonction des tranches d'âge des joueurs et de mesurer l'efficacité de ces entraînements.

Nous devons aussi nous intéresser au football féminin qui a attiré l'attention du grand public lors de la Coupe du monde organisée en France. À Arsenal nous avions déjà une équipe féminine qui comptait parmi les meilleures. L'Angleterre était en avance sur la France avec plus d'équipes féminines, plus de moyens, plus d'argent et aussi un intérêt plus marqué.

Pendant la Coupe du monde on a découvert que c'était un football agréable à regarder et très intéressant, que le jeu des joueuses favorisait l'expression collective, avec beaucoup d'intelligence. C'est un jeu certes moins physique que le jeu des hommes mais tout aussi passionnant. Il y a moins de brutalité, moins de cartons, d'interruptions, et donc plus de jeu.

Pour moi le grand défi du football féminin dans les prochaines années est un défi technique ; l'argent et l'intérêt médiatique viendront après. Les joueuses doivent gagner en précision technique mais avec des entraînements spécifiques, un développement du jeu qui est bien là, cette précision va venir parce qu'il y a une volonté farouche de montrer un beau football, de s'entraîner, de progresser.

Pour ce qui est du rôle central de la FIFA dans l'établissement et la mise en pratique des lois du football, sa responsabilité est de faire en sorte que les règles soient applicables partout, pour ne pas créer de football à deux vitesses. Mais il faut aussi préserver le spectacle offert par le jeu.

Chaque match est une histoire qui doit accrocher les hommes, qui reste dans les mémoires. À tel point que certains supporters sont capables de la raconter trente ans plus tard avec précision et autant d'émotions.

Ces dernières années, l'évolution des règles d'arbitrage a permis de favoriser le spectacle tout en protégeant les joueurs, en rendant le jeu plus juste mais aussi plus rapide, plus intéressant encore. Il faut continuer d'accompagner cela et prolonger ces évolutions.

J'ai connu toutes sortes de situations comme joueur et comme entraîneur face aux arbitres et à l'arbitrage. Pendant longtemps les autorités étaient trop laxistes avec l'arbitrage, laissant passer des fautes inexplicables, inexcusables de telle sorte que les joueurs, les entraîneurs, les supporters pouvaient éprouver un sentiment d'injustice fort, une vraie colère.

J'avais une relation assez distante avec les arbitres, peut-être avais-je tort mais ça ne m'intéressait pas de savoir qui allait arbitrer. En réalité j'avais plutôt un a priori favorable, imaginant un arbitre juste et impartial mais j'ai souvent été confronté à des erreurs d'arbitrage flagrantes.

Il m'est arrivé de perdre mon sang froid, d'avoir des explications tendues avec certains arbitres et d'être sanctionné pour cela. Je savais qu'il fallait garder son calme, et qu'être trop tendu, trop impliqué dans le match, trop sous pression, change notre perspective, notre perception. Mais lorsque l'erreur était trop évidente et avait des conséquences énormes, je ne pouvais pas retenir ma révolte.

Je me suis fait expulser quelques fois. Ainsi à Manchester j'ai dû monter dans les tribunes. Je n'avais pas de place, j'étais perdu au milieu des supporters, et bouillant de rage. Ça n'était pas du spectacle, c'était une question de vie ou de mort. En tout cas, je le vivais ainsi.

Aujourd'hui l'arbitrage a été bien repris en main, ce sont des professionnels qui s'en occupent après avoir reçu une formation complète et exigeante. Les arbitres sont ainsi mieux formés, mieux choisis et mieux contrôlés pour plus de justice dans notre sport. Et la VAR a permis aussi de mieux guider l'arbitrage, de rendre les décisions plus justes. La FIFA a sur ce point un rôle passionnant et important à jouer.

Parmi les changements à mener, un de nos grands défis sera notre maîtrise de la technologie, de la précision qu'elle offre, de la VAR en particulier, plus que l'utilisation de celle-ci qui est passée dans les pratiques usuelles de notre sport.

Par exemple, la question du hors-jeu pose encore un problème parce qu'il faut arrêter la vidéo et regarder à la seconde près. Le temps de ces vérifications, le jeu est suspendu, les spectateurs hors-jeu et l'intensité dans le stade chute. Les améliorations attendues sur la VAR vont rendre le jeu beaucoup plus fluide.

Le football ne doit pas être figé : il faut le faire évoluer vers plus de transparence dans le jeu. C'est essentiel et c'est aussi pour ça que j'ai choisi de m'impliquer dans ces changements. En faisant évoluer le football, on le rend à ce qu'il est : un art, un art collectif.

Parmi mes missions à la FIFA, il y en a aussi une qui me tient évidemment très à cœur : c'est la formation des entraîneurs et le suivi des anciens joueurs qui aimeraient après leur carrière occuper des postes de direction au sein des clubs ou dans les hautes instances du football.

Après avoir été joueur, et même si j'ai eu des mentors et des modèles, je suis devenu entraîneur et j'ai appris au fur et à mesure de mon poste, de l'équipe, des défis et je n'ai cessé de progresser. Peut-être avions-nous plus de temps pour faire nos preuves. Il n'y avait pas de formation, peu d'aide : l'entraîneur était seul et ne pouvait compter que sur lui ou presque. Aujourd'hui la profession s'est organisée, même s'il n'y a pas encore de syndicat mondial d'entraîneurs. Il y a davantage de formation et je ne cesse pour la FIFA, comme pour d'autres instances de témoigner de mon parcours, de mon expérience et de montrer ce que je crois être notre métier, notre responsabilité.

Les moyens à notre disposition sont plus nombreux et notamment toutes les données que nous pouvons utiliser concernant les performances des joueurs. C'est d'autant plus important que quand un bon entraîneur sait analyser ces données et se servir de toutes les technologies nouvelles, il peut s'appuyer sur celles-ci pour accompagner d'une façon plus juste, plus performante, le développement d'un joueur dans sa progression. Cela peut lui éviter de « tuer » un jeune joueur, et ainsi il ne bride ni son épanouissement ni sa capacité à prendre des décisions.

Ma responsabilité aujourd'hui est de m'investir pleinement dans ce rôle au sein de la FIFA et de transmettre ce que j'ai appris notamment aux jeunes joueurs qui me demandent ce qu'est un entraîneur, un manager. Rien ne peut remplacer ce qu'ils vont découvrir par eux-mêmes, leurs propres expériences. Mais ils peuvent réfléchir et s'enrichir des enseignements que j'ai pu tirer d'autant d'années de métier et d'implication dans le monde du football.

Pour moi un entraîneur c'est quelqu'un qui sait ce qu'il veut, qui a une vision claire, une stratégie.

Qui est capable de les formuler précisément.

Qui met ses idées en application et qui est capable d'obtenir l'adhésion de ses joueurs à son projet.

Il doit être pour cela un bon communicant.

C'est un homme qui résiste au stress, au jugement, à la pression. Qui ne perd pas sa lucidité, qui arrive, dans les situations difficiles, à prendre de la distance, de la hauteur. Qui ne répond pas au stress par la passivité ou l'agressivité.

C'est un homme qui a des convictions fortes, qui par son comportement, ses valeurs, ses mots, influence autant la vie et le style d'une équipe que d'un joueur. Il doit se faire respecter et gagner la confiance de ses joueurs.

C'est un homme d'expérience qui sait se faire comprendre des plus jeunes qui, par définition, n'ont pas son expérience : en écoutant, s'adaptant, en changeant parfois de stratégie et en gardant un esprit ouvert.

C'est aussi un homme humain, bienveillant, qui aime ses joueurs, et qui a la capacité de pointer les manques, les insuffisances avec un savoir-faire pour garder la motivation intacte et l'envie de se surpasser.

C'est un homme qui cherche le meilleur, qui vise l'excellence, pour lui-même d'abord, en s'impliquant totalement, sans relâche, en ne négligeant aucun détail, en portant de l'attention à chacun. Qui exige aussi le meilleur des joueurs, qui les pousse à l'excellence sans cesse, tout en sachant que même les plus grands sportifs ne sont pas toujours à 100 % de leurs capacités, et qu'il faut les pousser à se dépasser.

Les entraîneurs doivent aussi avoir conscience de la responsabilité du football, du pouvoir que ce sport a chez les jeunes, dans la société, l'attrait qu'il exerce, la fascination, la dévotion parfois qu'il provoque. Un entraîneur, c'est un homme qui se doit alors d'être à la hauteur de cette puissance, de ce pouvoir et de rendre le jeu le plus beau possible, de montrer le football dans son art le plus pur.

Aujourd'hui encore j'ai gardé la discipline acquise pendant toutes ces années. J'ai coutume de dire que la liberté est dans la discipline qu'on s'impose. Je commence ma journée avec 1 h 30 de gym et cela sans exception, même le samedi et le dimanche. Quand j'en ai la possibilité, je n'hésite pas à refaire 1 heure de cardio-training. Cette discipline de fer, je dois le reconnaitre, me permet aujourd'hui de garder mon énergie et ma forme, parce je continue à beaucoup voyager et à avoir d'autres activités que mon poste à la FIFA.

Je commente des matchs pour Bein sport et je suis régulièrement sollicité pour des interviews et des conférences dans le monde de l'entreprise pour faire partager mon expérience, mes enseignements d'entraîneur. Les parallèles entre le monde du sport et celui de l'entreprise sont réels et suscitent beaucoup d'intérêt.

Mais cette vie après Arsenal me laisse aussi le temps de faire autre chose que le foot, comme parcourir l'actualité du monde entier. Tout m'intéresse, me passionne, enfin presque tout, et particulièrement l'économie, la politique et les sciences. J'ai le temps de lire : des revues, des romans, de la philosophie. Dans notre société, la relation que les gens ont avec la religion, la recherche du bonheur, la liberté, est fascinante. Je vais au cinéma, au théâtre, et j'ai même parfois le temps de regarder quelques séries. J'ai aussi plus de temps pour mes amis, ma fille avec qui je partage des moments qu'avant je n'avais pas pu vivre. Et ça c'est précieux pour moi. Le temps dont on dispose a une valeur non négligeable, je le mesure peut-être aussi un peu plus à mon âge.

J'ai eu beaucoup de chance dans ma vie ; elle a été et est plus belle que tout ce que je pouvais imaginer enfant dans mon petit village alsacien. J'ai réalisé mes rêves et même ceux que je devais porter en moi sans oser les formuler.

D'une certaine manière, je suis allé au-delà de mes rêves.

J'ai parcouru le monde pour connaître des émotions fortes et pour vivre le plus pleinement possible cette vie de découvertes et cette liberté absolue à laquelle j'aspirais dans mon enfance. Pour moi le foot a toujours été une aventure. C'est ainsi que je le vis encore aujourd'hui.

L'important, je crois, c'est de garder son âme d'enfant et de ne jamais perdre de vue son rêve, ses rêves : quel est ton rêve, tes rêves, qu'as-tu besoin techniquement pour le, les réaliser (capacités, moyens...), débarrasse-toi de toutes les idées négatives qui pourraient t'empêcher d'y arriver et surtout engage-toi totalement.

Je suis convaincu qu'il n'y a que des vies inachevées mais il me reste tant de choses à faire : pour le football, pour les gens que j'aime, pour moi.

Je suis un homme chanceux et heureux de pouvoir continuer à faire vivre le foot, le développer et partager la joie qu'il donne. Et j'aimerais contribuer à le rendre encore plus beau pour tous ceux qui l'aiment.

Table des matières

Cet ouvrage a été composé par PCA

Imprimé en France par
CPI BRODARD & TAUPIN (72200 La Flèche)
en septembre 2020

pour le compte des Éditions J.-C. LATTÈS
17, rue jacob – 75006 Paris

PAPIER À BASE DE
FIBRES CERTIFIÉES

JC Lattès s'engage pour
l'environnement en réduisant
l'empreinte carbone de ses livres.
Celle de cet exemplaire est de
600 g éq. CO₂
Rendez-vous sur
www.jclattes-durable.fr

N° d'édition : 01. – N° d'impression : 3039103
Dépôt légal : octobre 2020